CEM DIAS ENTRE CÉU E MAR

AMYR KLINK

CEM DIAS ENTRE CÉU E MAR

31ª reimpressão

Copyright © 1985, 1995 by Amyr Klink

Grafia atualizada segundo o Acordo Ortográfico da Língua Portuguesa de 1990, que entrou em vigor no Brasil em 2009.

Capa
Jeff Fisher

Revisão
Valquíria Della Pozza
Agnaldo Oliveira

Dados Internacionais de Catalogação na Publicação (CIP)
(Câmara Brasileira do Livro, SP, Brasil)

Klink, Amyr, 1955-
 Cem dias entre céu e mar / Amyr Klink. — 1ª ed. — São Paulo :
Companhia das Letras, 2005.

 Bibliografia
 ISBN 978-85-359-0642-4

 1. Atlântico, Oceano — Descrição e viagens 2. Klink, Amyr,
1955- 3. Viagens marítimas — I. Título.

05-2172   CDD-910.45

Índice para catálogo sistemático:
1. Viagens marítimas : Narrativas de viagem 910.45

Todos os direitos desta edição reservados à
EDITORA SCHWARCZ S.A.
Rua Bandeira Paulista, 702, cj. 32
04532-002 — São Paulo — SP
Telefone: (11) 3707-3500
www.companhiadasletras.com.br
www.blogdacompanhia.com.br

*A meus pais, por tantas travessias
que vivemos juntos*

*Valeu a pena? Tudo vale a pena
se a alma não é pequena.
Quem quere passar além do Bojador
tem que passar além da dor.
Deus, ao mar o perigo e o abysmo deu
mas nelle é que espelhou o céu.*

FERNANDO PESSOA

SUMÁRIO

Querer *9*

1. Partir *13*
2. O cais da espera *18*
3. Estranhos caminhos até Lüderitz *25*
4. Uma foca solitária *34*
5. Um montinho de ossos na costa dos esqueletos *43*
6. O caminho certo *49*
7. Sete dias de tempestade *58*
8. Um sonho que se apaga *66*
9. Companheiros ilustres *74*
10. Um dia voltar *85*
11. A Adega Luar *91*
12. Remando com as asas *103*
13. O tubarão amarelo *114*
14. A creche das baleias *124*
15. A Praia da Espera *135*

Glossário de termos náuticos *153*
Bibliografia *156*
Sobre o autor *159*

QUERER

Rosa *era o seu nome e — como a mulher dos meus sonhos, aquela de quem nunca saberei todos os segredos e para quem sempre terei uma história nova — era misteriosa, elegante, cheia de enigmas. Suas linhas perfeitas escondiam-lhe muito bem a idade. Muito se contava a seu respeito. Grandes aventuras, viagens perigosas. Todos na ilha a conheciam.*

Não resisti, e fui ter com ela. E, desde a hora em que deitei os olhos em suas doces curvas, não descansei mais até que fosse minha. Pertencia a um velho pescador, e não foi fácil fazê-lo entender essa súbita paixão.

Rosa IX, *linda e encantadora canoa de nobre madeira, o caubi, nove metros talhados de uma única tora, linhas perfeitas, traço fino, estilo apurado, um verdadeiro caso de amor. Foi no Natal de 1977, na ilha de Santo Amaro, e, fechado o negócio, eu nem pensara em como levá-la até Paraty. Fomos juntos, por mar, e vivi então a minha primeira travessia, a sós, por dois dias e uma noite.*

Não mudei o seu nome quando fui registrá-la porque creio que todo barco adquire uma certa personalidade com o nome de batismo, especialmente uma canoa. Eu já sofria de uma crônica atração por canoas. A primeira que tive foi Max, uma pequenininha, azul e branca, feita de cedro, que comprei aos dez anos de um pescador chamado Iraci. Ele não queria vendê-la, mas tanto insisti que acabou aceitando os setenta cruzeiros que me emprestou um tio.

Canoa marinheira, rápida e graciosa, só mais tarde vim a saber que Max *havia sido feita pelas competentes mãos de Mané Santos, um dos mestres construtores mais respeitados de toda a baía da ilha Grande.* Max *seria a primeira de uma longa série de paixões que guardo até hoje, em perfeito estado de conservação; nela aprendi a reconhecer os ricos detalhes de uma arte em extinção: a construção artesanal de embarcações primitivas. Comecei a entender os variados tipos de embarcações em função principalmente dos traços e diferenças culturais de cada região, e fiz uma mara-*

vilhosa descoberta: o Brasil é no mundo o país mais rico em diversidade de estilos, feitios e técnicas de construção naval primitiva — pelo menos duas centenas de diferentes tipos de embarcações de formas belíssimas, dezenas de tipos de jangadas, canoas com características próprias e fascinantes em cada pedacinho de costa, em cada trecho de rio. Tradições orais que seguem de pai para filho, transportando pelo tempo as mais ricas influências. Um patrimônio cultural de incalculável valor, autêntico e desconhecido, que se transforma e desaparece pouco a pouco. Verdadeiras esculturas flutuantes, pescando ou levando carga por essa costa afora, viageiras incansáveis, valendo só pelo que podem servir e não, ainda não, pelo que são — obras de arte ainda vivas.

A Faísca *era uma delas — escultural canoinha que resolvi dotar de velas. Descobri então que a arte do manejo dessas embarcações também morre. Quantas emborcadas dei, em rondadas de vento, até descobrir de quantos panos eram feitas suas velas originais. Quanta alegria quando, ao aportar em prainhas distantes, na baía de Paraty, ressuscitava em velhos pescadores recordações sobre grandes travessias a remos de voga, fabulosas histórias de velas enfunadas por sopros misteriosos em noites de calmaria! Aprendi a reconhecer as madeiras para cada tipo de canoa, para cada fim; remos, vergas, mastros ou bolinas. E não deixava de admirar, pela alma, uma nobre canoa...*

A Rosa *era de nobre alma. Um corte com talvez cem anos de idade, sem um único defeito, lhe dera origem. Um velho caubi, madeira rara e eterna, mas que exige marinheiros atentos, pois não gosta de flutuar. Se não foi meu primeiro amor, foi a maior canoa que tive. Sincera. Sabia dizer não. Como num dia de pouco juízo, quando eu quis embarcar um casal de búfalos, para um amigo, até Ilha Grande, quarenta milhas ao norte.*

No caminho fiz escala na prainha do Jurumirim, depois de perfeita travessia; mas uma semana mais tarde, ao tornar a partir com os animais empanturrados de capim novo, ela refugou. A carga quieta a bordo, com algumas arrobas a mais, e ela achou por bem não desencalhar. Sem dúvida, fomos salvos pela Rosa.

A partir de 1980, em razão de um acidente, fiquei por dois anos sem poder remar. A Rosa *tornou-se então uma companheira constante nos fins de semana. Tinha ela, ainda não contei, um pequeno e esforça-*

do motor. Fizemos muitas viagens fantásticas durante esse tempo, passando por apuros que ficaram para sempre em "nossa" memória.

Dias inteiros de calmaria, noites de ardentia, dedos no leme e olhos no horizonte, descobri a alegria de transformar distâncias em tempo. Um tempo em que aprendi a entender as coisas do mar, a conversar com as grandes ondas e não discutir com o mau tempo. A transformar o medo em respeito, o respeito em confiança. Descobri como é bom chegar quando se tem paciência. E para se chegar, onde quer que seja, aprendi que não é preciso dominar a força, mas a razão. É preciso, antes de mais nada, querer.

1. PARTIR

O RANGER DO VELHO CAÇA-MINAS de madeira contra o cais me roubou o sono. O movimento de proas e mastros dos pesqueiros atracados lado a lado produzia uma estranha música de ruídos e estalos que hipnotizava os ouvidos. Embora uma fina névoa descansasse sobre as águas silenciosas do porto, e não houvesse um pingo de vento, o balançar dos barcos anunciava que fora da baía o mar estava agitado e as grandes ondas do sul tinham voltado.

Impossível dormir nessa primeira noite a bordo; com a luzinha da cabine acesa, e uma lanterna na mão, procurava pôr ordem na infinidade de sacolas que ainda aguardavam um endereço certo no meu minúsculo compartimento de bagunças. Vesti mais uma blusa — fazia frio — e, soltando um pouco o cabo da âncora e as amarras que me ligavam ao barquinho do capitão do porto, encostei no cais principal, a poucos metros apenas. Por entre as sombras dos vagões aí estacionados surgiram dois vultos:

"Amyr!" Eram Gunther e Marion, encapotados, que vieram me acordar. "Amyr, o escritório da Aduana está abrindo! Os papéis!..."

"Bom dia", respondi.

E com passaporte, diário e livros de bordo debaixo do braço subi os degraus gelados da escadinha de ferro e fomos atrás da única luz acesa no porto. O oficial da Imigração, especialmente arrancado da cama para a ocasião, e com cara de quem não estava muito acostumado a madrugar, colou as estampilhas, carimbou e finalmente assinou os meus papéis. E assim, às seis horas do dia 10 de junho de 1984, uma gelada manhã de domingo, eu estava oficialmente autorizado a deixar o porto de Lüderitz, na Namíbia (antiga África do Sudoeste), com destino ao Brasil, remando.

Tenso, andando em direção ao cais, senti que aqueles seriam

os meus últimos passos em terra firme. O cheiro de porto no escuro, a areia quente sob os pés, os vagões enferrujados, o barulho de vozes humanas — quando novamente? Não sabia, e tampouco importava naquele momento. Estava nervoso, impaciente, desesperado para ir embora. A saída fora autorizada, a partir de Dias Point, e para lá seria rebocado por um veleiro, o *Storm Vogel*. Na ponta do cais já estavam todos esperando: Helena com as crianças, a querida Anne Marie e os inesquecíveis amigos de Lüderitz com caras amassadas de sono e alguns olhos molhados. Tinha um enorme nó na garganta, e simplesmente não pude me despedir de ninguém: a voz não saía. Pulei no barco e, antes que me afastasse, Helena atirou uma chuva de flores:

"É para Iemanjá! Faça uma linda viagem, Amyr!"

Gunther, talvez o único entre aquelas pessoas maravilhosas que não traíra uma ponta de nervosismo, não parava quieto e berrava:

"Cuide-se direito! Não deixe que te peguem! Queremos visitá-lo em Paraty!"

De um veleiro antigo, de casco negro e que eu mal podia enxergar no escuro, ouvi um anônimo:

"Boa sorte, homem!"

Agradeci em silêncio. Aos poucos o cais foi diminuindo, fundindo-se com os contornos áridos das dunas que cercam a cidade. Passamos a última boia de indicação do porto, com sua luzinha vermelha e o eterno bater do sino que orienta os pesqueiros perdidos na neblina. O dia começou a nascer, envolto em uma neblina baixa que fazia as altas dunas do deserto parecerem nuvens sobre o horizonte.

Focas e golfinhos surgiram brincando em torno do barco e, ao dobrar Dias Point e Halifax Island, onde vive uma simpática colônia de pinguins, o mar subitamente mudou. O vento forte e as ondas formadas anunciavam o limite das águas abrigadas da baía de Lüderitz, o oceano livre pela frente. Do potente farol-apito, junto à cruz de Dias — que nas noites de tempestade e nos dias de neblina, tão frequentes nessa estranha costa, orienta a entrada dos navios —, ouvi pela última vez a África: uma série de longos e distantes apitos, a saudação da torre que aos poucos desaparecia, um continente que já não mais avistava, mas que ainda podia ouvir... Adeus, África!

Começou, então, a despedida da tripulação do *Storm Vogel*. Catastrófica despedida. Eu havia esquecido meu casaco vermelho e uma máquina fotográfica no veleiro, antes de deixar o porto, e pedi aos berros, por causa do vento que não parava de aumentar, que me passassem o material. Com o mar cada vez mais agitado, uma aproximação tornava-se tarefa delicada. Atirei um cabo, para auxiliar a manobra, mas ao ser puxado por barlavento desci uma onda em velocidade e entrei com o bico de proa no costado do veleiro, abrindo um pequeno rombo. Ficaram todos apavorados com o choque, e mais ainda com o furo no casco, e então tentaram passar em rumo oposto ao meu.

Não sabia exatamente o que fazer; as ondas começavam a preocupar, mas era certo que eles estavam com excesso de pano para aquele vento. Só então percebi que eram completamente inexperientes e não entendiam nada de vela.

Com o veleiro adernado pelo vento, sem ângulo de visão e em grande velocidade, o comandante errou a manobra e veio exatamente em cima de mim. Proa com proa, um choque tremendo, pensei que fosse afundar. Todas as coisas soltas dentro do barco voaram, e a antena de rádio, instalada do lado de fora, partiu-se ao meio e caiu na água. Junto, foi um bobina para comunicados a curta distância, em 40 metros, que ganhei do Gerd (formidável radioamador de Lüderitz) e que serviria para lhe mandar notícias nos primeiros dias.

Estava apavorado. O *cockpit* cheio de água, as ondas arrebentando, um frio tremendo, e a antena principal perdida. Meu Deus, que começo! Descontrolada com a força do vento, com velas panejando e escotas voando, a tripulação resolveu mudar de tática e, agora com o vento a favor, avançou de novo em minha direção. Fiquei histérico, não queria mais o casaco nem coisa alguma. Queria que fossem embora, aquilo estava perigoso demais! Faltavam só capa e lança para parecer um duelo — a capa, aliás, estava com eles — e vieram dessa vez em sentido contrário, com todas as velas cheias, levantando espuma pela proa. Berrando como louco, implorei que se afastassem. Inútil.

Cruzando proas a poucos metros de distância, me atiraram o casaco amarrado a um cabo para que o vento não o carregasse. Agarrei-o — e que surpresa! —, o cabo não estava solto. Pior. Não era um cabo, mas a ponta de uma das escotas. Larguei tudo imediatamente; mas, enquanto o veleiro seguia veloz, a ponta que estava comigo ainda presa ao casaco enroscou-se num dos remos, o cabo esticou, partiu-se e o remo espirrou para cima, caindo no mar. Fiquei sem meu remo, e eles sem a escota da vela grande que panejava de maneira desesperada. Tudo se passara em frações de segundos. Tinha de qualquer modo que recuperar o remo. Situação absurda! Desamarrei um dos remos de reserva que estavam firmemente atados sobre o convés e, enfurecido, quase chorando de raiva, parti em direção ao remo perdido que se afastava com rapidez. Quarenta e cinco minutos de luta com as ondas e o vento para conseguir, todo ensopado, capturar o remo acidentado. Não, não podia ser verdade — quarenta e cinco minutos, e as bolhas estouravam-me nas mãos, a mais de cem dias do destino! Do veleiro, só me lembro da tripulação tentando levantar uma faixa, por certo preparada na véspera, onde se lia, num esforçado castelhano, "Amyr, feliz viag...", e vupt, o vento carregou a faixa. Não nos vimos mais, e não houve despedida. Simplesmente sumiram. Assim, de modo rocambolesco, eu havia partido e, ao me descobrir totalmente só, uma estranha sensação me invadiu...

A situação a bordo era desoladora. O vento ensurdecedor, o mar difícil, roupas encharcadas, muito frio e alguns estragos. Pela frente, uma eternidade até o Brasil. Para trás, uma costa inóspita, desolada e perigosamente próxima. Sabia melhor que ninguém avaliar as dificuldades que eu teria daquele momento em diante. Estava saindo na pior época do ano, final de outono, e teria pela frente um inverno inteiro no mar.

A fria e difícil corrente de Benguela, meu caminho obrigatório até as proximidades da ilha de Santa Helena, é particularmente perigosa no mês de junho. Planejei partir no verão, quando as águas do Atlântico Sul são mais clementes, e estabeleci uma data-limite para a partida, além da qual eu deveria reconsiderar seriamente a decisão de me fazer ao mar. Essa data era o final do mês de maio, e já estava queimada. Uma colossal avalanche de problemas contribuiu para isso. Mas, se tomei essa decisão, não foi sem avaliar os riscos. Eu havia trabalhado nesse projeto durante mais de dois anos, sem jamais fazer uma única concessão que lhe comprometesse a segurança. Tinha um barco e um equipamento como sempre sonhei — perfeitos. Estava preparado para o pior, e por um período tão longo no mar seria impossível, cedo ou tarde, evitar o pior. Então, por que não partir?

Finalmente, meu caminho dependeria do meu esforço e dedicação, de decisões minhas e não de terceiros, e eu me sentia suficientemente capaz de solucionar todos os problemas que surgissem, de encontrar saídas para os apuros em que porventura me metesse.

Se estava com medo? Mais que a espuma das ondas, estava branco, completamente branco de medo. Mas, ao me encontrar afinal só, só e independente, senti uma súbita calma. Era preciso começar a trabalhar rápido, deixar a África para trás, e era exatamente o que eu estava fazendo. Era preciso vencer o medo; e o grande medo, meu maior medo na viagem, eu venci ali, naquele mesmo instante, em meio à desordem dos elementos e à bagunça daquela situação. Era o medo de nunca partir. Sem dúvida, este foi o maior risco que corri: não partir.

Não estava obstinado de maneira cega pela ideia da travessia, como poderia parecer — estava simplesmente encantado. Trabalhei nela com os pés no chão, e, se em algum momento, por razões de segurança, tivesse que voltar atrás e recomeçar, não teria a menor hesitação. Confiava por completo no meu projeto e não estava disposto a me lançar em cegas aventuras. Mas não poder pelo menos tentar teria sido muito triste. Não pretendia desafiar o Atlântico — a natureza é infinitamente mais forte do que o homem —, mas sim conhecer seus segredos, de um lado ao outro. Para isso era preciso conviver com os caprichos do mar e deles saber tirar proveito. E eu sabia como.

Pelo simples fato de estar ali onde estava, debatendo-me entre os remos, xingando as ondas e maldizendo a sorte, me sentia profundamente aliviado. Feliz por ter partido.

2. O CAIS DA ESPERA

O CONTÊINER BAIXOU PARA A "BODEGA 5", porão principal do *Santiago del Estero*, e as sacolas estavam acomodadas na minha cabine.

O navio deixaria Santos, com destino à África do Sul, naquela mesma madrugada. Os poucos amigos que vieram se despedir tinham ido embora. A bordo, todos ocupados com a operação de embarque, que já estava atrasada. Depois de tantos meses infernais, correndo contra o relógio, sem encontrar tempo para dormir, era engraçado estar ali, em pé, no Armazém 19, sem saber direito o que fazer.

Estava quieto, só, pensando. Quando voltaria a ver de novo Paraty, a família, o Brasil, as pessoas queridas de quem não pude me despedir? Sim, era estranha a sensação. A resposta parecia longe, distante. Passagem de ida somente. Partida irreversível, caminho sem volta. Não! A volta eu levava em minha bagagem, um pequeno contêiner de madeira que encerrava dois anos de estudos e de muito trabalho, e onde caberia ainda muito esforço.

Não tinha sono, e fiquei a dar voltas pelo porto. Eram os nervos, talvez. Foi uma despedida um pouco tensa. Sentia todos preocupados e, pior que isso, eu estava preocupado. Partia às pressas para um país que não conhecia, e não tinha a menor noção de como chegar ao meu destino, a Namíbia, separado não apenas pelo Atlântico, mas por um grande deserto de fronteiras políticas e burocráticas que me inquietavam. Estava prestes a iniciar um antigo sonho de criança: viajar num cargueiro para além-mar — e disso nem me dei conta naquele momento.

No dia seguinte, 6 de maio, acordei com o navio no través da Ponta do Boi, já guinando para este, rumo à África.

Único passageiro a bordo, aos poucos fui conhecendo a tripulação, e descobri um cantinho fantástico para estudar: a mesa de navegação na ponte de comando. Passava aí noites inteiras rabiscando cartas marítimas, dividindo os quartos noturnos com oficiais e marujos, conversando sobre a vida. Encontrei, enfim, tempo para checar meus conhecimentos sobre astronomia, e, entre bombadas de chimarrão e incríveis histórias de outros cantos do mundo, aprendi muita coisa nova sobre o mar. Às vezes descia para dormir, com crises crônicas de tanto rir das histórias anormais do médico de bordo.

A minha cabine, em algumas viagens utilizada pelo prático, era confortável e aconchegante, mas eu pouco me detinha ali, procurando o que fazer.

Apesar de todas as comodidades que oferece, e de tantas viagens pelo mundo, a vida num cargueiro é solitária e monótona. Os portos de parada se alternam de modo contínuo entre si, sempre os mesmos, as escalas são curtas e a rotina não muda. Os dias custam terrivelmente a passar.

Vivi momentos de intensa beleza à noite, quando fazia passeios à proa do navio. Debruçado na ponta extrema do convés, com meio corpo além da borda, como se fosse uma carranca do São Francisco, distante das máquinas e em total silêncio, passava horas seguidas com os olhos presos na imensa onda levantada pelo bulbo de proa que abria caminho no mar.

Numa dessas noites, assisti pela primeira vez na vida a um espetáculo quase irreal, que muitos velhos marujos ainda não tiveram a felicidade de ver: um arco-íris de lua. Em plena noite de lua cheia, chovendo ao sul, um fantástico arco-íris no céu...

Navegamos em mar tranquilo até o sétimo dia, quando o tempo começou a mudar, com o barômetro em queda acentuada. No dia seguinte estávamos em meio a uma tempestade de proporções incomuns. Por duas vezes durante a noite, com o impacto das ondas na proa, as máquinas pararam, acionando um festival de alarmes que ressuscitou os últimos coitados que tentavam dormir. Eu não desgrudava mais os olhos do mar, procurando medir cada onda, lembrando que em breve estaria eu, ali, negociando com cada uma delas e não tendo por onde fugir.

Contêineres se soltando, cabos e correntes voando pelo convés, a âncora golpeando o casco a todo instante. Situação difícil para um navio de 150 metros de comprimento, obrigado a capear; como seria então para um barquinho com menos de seis, sem velas ou motor — me perguntavam todos. Não sabia responder, mas essa tempestade, estranha e bela ao mesmo tempo, muito me fez pensar. Sua passagem, impressionante e arrasadora, é verdade, me tranquilizou bastante. Sabia que, estatisticamente, as possibilidades de ocorrência de uma nova depressão meteorológica dessas proporções praticamente ficavam reduzidas a zero. Um raio não deveria cair duas vezes no mesmo lugar. Convivendo dias seguidos com um mar de incomum violência, imaginando-me entre aquelas ondas como uma pequena e frágil lâmpada que eternamente flutua na arrebentação da praia, cheguei a pensar que meu barquinho, subindo e descendo as ondas sem teimar com o mar, se sairia infinitamente melhor do que 150 metros de obstinado aço, desafiando montanhas de água.

Aportamos com três dias de atraso na Cidade do Cabo, onde soubemos pelos jornais que essa tinha sido a pior depressão que passou pela África do Sul neste século. Ondas de dezesseis metros de altura e ventos de 174 quilômetros por hora, registrados pela torre na entrada do porto. Que recepção!

Apenas começavam os problemas. O *Santiago* seguia para o Japão em alguns dias, e o meu contêiner deveria continuar por trem até a Namíbia, vencendo 1500 quilômetros antes de voltar ao mar. Mas, como eu desconfiava, a agência de transportes não havia providenciado absolutamente nada, e os documentos para a liberação do barco ainda não tinham sido enviados.

Falha grave! Eu precisava de uma liberação urgente, não podia perder mais tempo, o inverno se aproximava. Descobri por acaso que, do mesmo cais onde estava retido o meu contêiner, partiria em três dias um navio de pequena cabotagem com destino a Lüderitz. Rara oportunidade, pois essa região é servida por um único navio que poucas vezes ao ano chega até aquele porto.

A liberação da carga pelas autoridades alfandegárias levaria pelo menos dez dias, me informaram; isso, se os papéis chegassem a tempo. E, pior, todos os meus mantimentos lacrados em embalagens termoestanques, cuidadosamente acondicionados e numerados, teriam que ser inspecionados. Fiquei louco: se as embalagens fossem abertas, todos os mantimentos se estragariam; e se o navio para a Namíbia partisse eu perderia um precioso mês para chegar, por via férrea, ao ponto de largada.

Precisava a qualquer custo encontrar uma solução. Assim, contra o prognóstico de todos os agentes e despachantes portuários envolvidos no caso, que previam semanas para a conclusão dos trâmites aduaneiros, não sem quebrar alguns recordes no preenchimento de guias e formulários, voando contra o tempo, e graças a uma mirabolante maratona burocrática, embarquei no *Oranjemund* para uma tensa viagem de três dias até Lüderitz.

A famosa caixa de madeira que continha minha "lâmpada flutuante" só subiu ao navio vinte minutos antes da partida. Mal tive tempo de me refazer da maratona na Cidade do Cabo, que gostaria de ter conhecido em outra situação, e logo fui presenteado com uma cruel despedida. O reverendo Tanaeff, que fora tão amigo e incentivador quando cheguei, mudara subitamente de ideia e, enquanto o navio seguia lento para a saída do porto, gritava sem parar, acompanhando-nos pelo cais:

"É impossível, Amyr, impossível! Desista enquanto é tempo! Ninguém pode vencer a corrente de Benguela com os braços! Desista! Você vai morrer como os outros! Adeus! Adeus..."

Macabras palavras justo de alguém que deveria pregar a esperança. Não pretendia vencer corrente alguma com os braços, mas sim com a cabeça. Tive que me enfiar na casa de máquinas para não continuar ouvindo os funestos vaticínios do reverendo, ou para não cometer um sacrilégio e, com os braços, naufragar o pobre homem. Mas, fugindo dos olhares tortos da tripulação, que não entendia o que se passava, não parava de me perguntar: "Que outros?".

A bordo, recebo um telefonema de um jornal informando que as autoridades do porto de Lüderitz não permitiriam a minha partida, e que assim que eu chegasse a embarcação seria retida. Trágica notícia! A causa era uma pequena nota no jornal que, em meio às manchetes sobre os estragos causados pela tempestade do século, anunciava a intenção de um brasileiro "maluco" de retornar à sua terra num pífio bote a remos.

Eu desconhecia por completo, até então, as tentativas anteriores de cruzar o Atlântico Sul a remo — todas sem sucesso. A do inglês Michael McIntayre que, após capotar o seu barco, foi encontrado semimorto alguns dias depois de partir, e a de John Hornby — também inglês e sargento do Exército rodesiano — que, tendo sua partida recusada na Cidade do Cabo, saiu de Ysterfontein em 1975 e nunca mais foi visto. Havia um terceiro remador que também desapareceu sem deixar traços.

O experiente comandante Mike, do *Oranjemund* — no princípio cético e inconformado com os meus planos —, após estudar o "dossiê amarelo" convenceu-se de sua viabilidade. Seus comentários sobre as trágicas tentativas anteriores à minha, ao invés de me abalarem, vieram confirmar o que eu supunha: tratava-se de experiências não muito sérias que simplesmente buscavam bater um recorde qualquer, e nas quais falhas imperdoáveis haviam sido cometidas.

O "dossiê amarelo" era o meu advogado oficial: um documento de trinta páginas que escrevi dois anos antes, onde detalhava, item por item, o projeto que tinha em mente e que não deixava dúvidas sobre a sua viabilidade. Por muitas vezes ainda esse documento me livraria de situações complicadas.

Não parava um segundo de pensar numa saída diplomática para a encrenca que me aguardava assim que desembarcasse. Compreendia perfeitamente as razões de segurança e responsabilidade alegadas pela Capitania dos Portos, e concordava com elas. O triste era que ainda não tivera a chance de expor meu projeto e de explicar que não se tratava de uma loucura premeditada como as notícias davam a entender — e não poderia fazê-lo enquanto não chegasse a Lüderitz, onde o chefe do porto, capitão Rees, era, ainda por cima, famoso por ser intransigente e de difícil diálogo. Foi graças à preciosa interferência do simpático comandante Mike, após uma bem regada confraternização, em que no meio da noite me chamavam "Emil", e ao final já era conhecido por "Melvin", que consegui permissão para, pelo menos, deixar o contêiner sobre o cais de Lüderitz. O cais da espera, da mais longa e difícil espera por que passaria.

O capitão Rees, principal oponente da ideia, graças ao infalível "dossiê amarelo" mudou de atitude; mas, como a ordem de retenção estendia-se a todos os portos da costa sul-africana, pois supunha-se que eu tentaria sair de outro lugar, a decisão dependeria, a partir daí, das autoridades de Pretória. O barco jazia empoeirado em sua urna de madeira, enquanto durante dias seguidos eu redigia páginas e páginas de telex em inglês, em que uma única palavra mal colocada abortaria a viagem.

Uma longa espera que durou catorze dias. Angustiantes dias que passei sentado no cais, olhando o horizonte, medindo o vento, aguardando.

O mar estava excepcionalmente calmo para a época, com condições meteorológicas perfeitas para a partida, e eu ali, preso. Início de junho, mês difícil, já deveria estar longe, no mar, ganhando latitude para escapar às sucessivas tempestades que assolam essa costa, e ainda nada. "Sim" ou "não", era tudo o que eu esperava. Mas a resposta no telex não vinha. E poderia não vir nunca.

Conversei com comandantes de navios ali ancorados, capitães de frotas pesqueiras, velhos lobos do mar, tripulantes, que viajavam entre os cinco continentes, que conheciam bem os caprichos da corrente de Benguela. Conversei, procurando informações ou conselhos úteis. Sem exceção, todos me desestimularam. Ouvia de navegadores experientes, com palavras secas e refletidas, que se partisse não voltaria. Em outra época talvez, com mar tranquilo e céu azul, mas num inverno como aquele, exatamente no mês mais difícil, nunca. Nem mesmo um louco!

As advertências foram duras, mas inúteis. Embora experientes, aqueles homens não conheciam os detalhes do meu projeto. Mais do que todos, eu sabia das adversidades que enfrentaria partindo na estação difícil. Não as estava subestimando, tinha me preparado muito bem, e isso não me preocupava. O que ninguém sabia é que o grande problema que eu tinha pela frente não era o mar em si, mas a proximidade da costa e a direção dos ventos e correntes. E, nesse ponto, o mês de junho, tempestuoso e frio, tinha uma vantagem importante: as diferenças de temperaturas entre o deserto e a água fria eram menores, tornando menos difícil o afastamento da costa.

Em alto-mar, em caso de tempestade, eu teria liberdade para seguir em qualquer rumo; mas junto à costa, sob mau tempo, estaria sempre ameaçado por sua perigosa proximidade. No final da segunda semana de espera, os jornais já anunciavam: "Brasileiro desiste de sua viagem"; "Frustrada a travessia". Mal sabiam eles... Estava decidido a lutar com unhas e dentes para partir, e não seria uma tempestade de maus presságios e notícias falsas que me faria desistir.

Afinal o telex reagiu. Uma resposta positiva! Quase morri de alegria! Decidi partir imediatamente, antes que mudassem de ideia. Fui obrigado, antes disso, a assinar uma desnecessária declaração em que recusava qualquer tipo de socorro, ao mesmo tempo que isentava de responsabilidade as autoridades sul-africanas em caso de sinistro. Assinei-a com grande alegria, como se assinasse uma carta de alforria.

Foi assim que, no cais da espera, naquela manhã da partida, terminou minha maior aventura.

3. ESTRANHOS CAMINHOS ATÉ LÜDERITZ

MÁGICA EMOÇÃO DE CONHECER um lugar que há pouco tempo não passava de um ponto isolado no mapa, que nada me dizia além de ser o início da linha pontilhada que atravessava minhas cartas náuticas em direção ao Brasil.

Fantástica emoção de, agora, neste ponto perdido, deixar recordações, saudades, pessoas queridas. Mas, por que Lüderitz? Não por acaso. Único porto da Namíbia, isolado em quase 1500 quilômetros de costa árida e desabitada, é a partir dali que a corrente de Benguela se afasta da costa e deflete para dentro do Atlântico; ao mesmo tempo, é o lugar onde começam os ventos alísios que sopram fortes e regulares até o Nordeste do Brasil. Talvez o único ponto no Atlântico Sul onde ventos e correntes se afastam da costa, Lüderitz está em situação altamente estratégica para uma pequena embarcação que pretenda se ver livre da África.

Walvis Bay, enclave sul-africano na Namíbia, 240 milhas ao norte, seria uma outra opção para iniciar minha viagem. Com condições climáticas muito mais favoráveis, eu estaria livre do problema das tempestades e das famosas "ondas anormais", ao mesmo tempo que encurtaria a viagem em direção ao Brasil em mais de duzentas milhas, poupando pelo menos cinco dias de mar. Mas, do ponto de vista das correntes, havia algumas desvantagens, e eu não queria correr o risco de ser jogado na perigosa Costa dos Esqueletos, que se prolonga até a conturbada fronteira com Angola. Não tinha escolha. Apesar das condições mais severas, Lüderitz era o meu porto.

Mágico e misterioso lugar, perdido nas areias do deserto, Lüderitz é o coração da "região proibida" dos diamantes, onde as árvores não crescem e o vento forte não para. Ali se veem altíssimas dunas que se movem com o vento e avançam sobre o mar, mudando o contorno da costa e do horizonte ao mesmo tempo e de modo contínuo; as águas são geladas, e em pleno deserto há focas e pinguins; flamingos e pelicanos espalham-se nas salinas naturais, enquanto tubarões vivem em uma baía própria, sem molestar ninguém...

Com menos de 1500 habitantes, de altíssimo nível de vida, cercada por cidades fantasmas como Kolmanskop e Elizabeth Bay, antigas sedes de exploração de diamantes semissoterradas pela areia, Lüderitz é um lugar especial. Um lugar para se pensar muito.

E, pensando enquanto aguardava a solução dos meus eternos problemas, tentando ignorar as mórbidas previsões e os comentários sobre minha insanidade mental, percebi que havia alguma coisa que me permitiu ir contra tanto pessimismo e chegar até ali. Acontecimentos inquietantes.

Logo que o plano amadureceu, e antes mesmo de definir o projeto do barco, uma dúvida importante me assaltou: de que lugar da África deveria partir?

Depois de meses examinando cartas-piloto, livros e mapas do Atlântico Sul, optei por Lüderitz, porto do qual nunca ouvira falar e de cuja existência soube apenas por mapas. Estranho nome alemão em plena África. Lüderitz, Namíbia. Não sabia nada a respeito desses lugares.

Minhas irmãs, as gêmeas, estavam passando os feriados de setembro, mês do meu aniversário, em casa, em Paraty. Perguntei a elas se poderiam me ajudar, e recebi uma cartela escolar com dados resumidos de todos os países do mundo.

Procurei imediatamente no índice a Namíbia e abri no lugar correspondente. Havia um erro de impressão, e os dados sobre a Namíbia estavam em branco. Que azar!, pensei, e esqueci a cartela.

Poucas horas mais tarde, José, o carteiro, estava embaixo batendo à porta. Desci; era um envelope com o primeiro número de uma assinatura da *Revista Geográfica Universal* que uma amiga me mandou de presente de aniversário. Abri o envelope e na capa li: "Reportagem especial sobre a Namíbia". Tratava-se, sem dúvida, de uma simples coincidência. Devorei o artigo, e aprendi coisas interessantíssimas sobre esse país de desertos e esse estranho lugar fundado por um comerciante de Bremen, Adolf Lüderitz, no início do século.

Comecei a ler tudo sobre travessias e, pouco depois, terminando um livro em francês que falava de algumas tentativas frustradas de cruzar o Atlântico Norte, observei que era o terceiro livro consecutivo que mencionava um radioamador francês, Maurice, que havia acompanhado pelo rádio muitas expedições polares e travessias em solitário. Tive uma incontrolável vontade de tentar um dia corresponder-me com o tal francês. Quantas informações interessantes ele deveria ter!

Era sexta-feira, e dessa vez meu irmão mais novo, Tymur, estava em casa. Joguei o livro no chão e lhe perguntei como faria para descobrir o endereço de um sujeito no interior da França e que eu só conhecia pelo nome.

"Simples!", respondeu Tymur. "Conheço um número de telefone, em Paris, que em meia hora consegue todos os dados de qualquer pessoa."

"Esqueça!", eu disse. "Imagine! Meia hora aguardando Paris na linha..." Fui dormir.

Na manhã seguinte resolvi dar um passeio por mar até o Jurumirim, trazer um pouco de bananas e ao mesmo tempo exercitar, com o remo, a mão direita, recém-operada. Saí na *Faísca*, que estava fundeada no rio, junto de casa, e fui remando, lentamente, com a correnteza. Não eram seis horas ainda.

Maré muito cheia, encontrei na saída do rio um veleiro interessante que deveria ter chegado durante a noite. Não resisti. Um pouco cedo talvez, mas encostei e bati na janelinha. Que susto tremendo! Veio para fora um casal brigando como gato e cachorro. Meio sem graça, desculpei-me, e expliquei que eles deveriam sair dali antes que a maré baixasse, ou encalhariam.

"E para onde você quer nos mandar?", perguntou, agressivo, o marido.

"Bem, vocês podem atracar no cais, como todos os barcos; mas, se quiserem, tenho no sítio um bom abrigo, cocos, bananas e hospitaleiros borrachudos" (seguramente ele não conhecia os borrachudos).

A sugestão deve tê-lo acalmado, pois não só ganhei um convite para o café, que ainda não tinha tomado, como desfrutei uma interessante carona a bordo. A *Faísca* foi atrás a reboque.

Chamavam-se Michel e Frédérique. Eram franceses e estavam há dois anos navegando com duas crianças, que ainda dormiam. Delicioso café. Subitamente Michel olhou para o relógio, pulou da mesa e ligou um estranho receptor. Estava atrasado para o seu comunicado habitual com o F6 CIU, no interior da França.

Não é possível, pensei. Já tinha visto aquele prefixo antes.

"Não é o Maurice?", perguntei de brincadeira.

Parece incrível, mas era ele mesmo.

Quem diria que nos confins da baía da ilha Grande, na foz do rio Perequê-Açu, de Paraty, eu falaria com um desconhecido do outro lado do Atlântico, por quem perguntara um dia antes? Pus em prática o meu francês e em pane as baterias de tanto falar.

O casal, que estava de partida, tornou-se amigo e acabou prolongando a estada em Paraty por quatro meses. Resolvi, então, após tão impressionante coincidência, tornar-me radioamador; meu futuro barco deveria ter um rádio.

Mas por onde começar? Não entendia nada do assunto, e, num fim de semana, viajando até São Paulo, recorri aos classificados do *Estadão* de domingo — "Negócios e Oportunidades" —, normalmente repletos de anúncios de todos os tipos. Liguei para o primeiro: "Olha, eu não sou radioamador, mas estou interessado em obter algumas informa...".

O sujeito bateu o telefone sem dar resposta. Mau começo. Mafiosos, talvez, esses radioamadores, pensei. Liguei para o próximo e, antes de explicar o que queria, pedi que não desligasse. Atendeu um rapaz muito atencioso, visivelmente viciado em rádio, que, após quarenta minutos ininterruptos de conversa, propôs me dar algumas explicações ao vivo. Com o ouvido doendo de tanto segurar o fone, concordei, e em seguida ele veio a minha casa. Era um jovem simpático e inteligente, que não parava de falar em antenas, bobinas e condensadores, mas que não entendeu bem a razão do meu interesse.

Abri um mapa do Atlântico Sul e, meio sem graça, expliquei-

-lhe o que pretendia. Interessado, ele me perguntou de onde pretendia sair para uma viagem tão incomum.

"De um lugar muito engraçado, um lugar na Namíbia que nenhum brasileiro conhece."

E apontei na direção da minúscula e misteriosa Lüderitz.

"Como?", reagiu ele.

"Lüderitz", respondi. "Engraçado, não? Um nome alemão em plena África!"

"Você sabe qual é o meu nome?"

Senti-me envergonhado. O rapaz foi tão gentil e eu nem ao menos lhe perguntei o nome. A resposta quase me derrubou da cadeira:

"Henrique Lüderitz."

E, como eu duvidasse, ele me exibiu sua carteira de identidade: Henrique Lüderitz. Simplesmente incrível! Eu estava sentado diante de um descendente direto de Adolf Lüderitz. Rimos, nervosos com a descoberta, uma dessas inexplicáveis coincidências que desnorteiam a cabeça das pessoas mais racionais. A partir desse dia, Henrique incorporou-se ao meu projeto e sob a sua orientação eu me tornaria um radioamador.

Pouco tempo depois recebi um telefonema de Salvador. Era o casal francês me convidando para seguir no veleiro até a Guiana Francesa. Eu, que tantas vezes recusara semelhantes convites por falta de tempo ou preocupado com os negócios em Paraty, resolvi dessa vez aceitar.

Na mesma noite voei para Salvador e embarquei, com um escorregão, pela escadinha do II Distrito Naval, junto à rampa do Mercado Modelo, para uma longa viagem de quarenta dias, em que aprenderia os segredos da navegação pelos astros e em que estive em contato constante com Maurice e Lüderitz. Jamais poderia imaginar que a próxima vez que voltasse a pisar em Salvador seria muito, muito tempo depois, com um escorregão, pela mesma escadinha junto à rampa do Mercado Modelo, encerrando um sonho que apenas começava.

O cerco estava se fechando e, pouco a pouco, meu plano se aperfeiçoava. Voltei de Caiena com muitos conhecimentos novos e uma mordida de cobra no pé que me deixou fora de ação por mais de um mês. Enquanto me recuperava, com o terrível pé em repouso, digno de figurar num dos vidros de conserva do Instituto Butantan, não parava de estudar. Precisava de cartas-piloto do Atlântico Sul e mais informações sobre a costa da Namíbia. Difícil missão. Não encontrava cartas sobre a região em lugar nenhum. As informações que pedia voltavam sem resposta. Sem dúvida, por tratar-se de uma região estratégica para a África do Sul, devido à zona dos diamantes, dificilmente eu teria acesso às cartas náuticas, sobretudo do trecho que mais me interessava: Lüderitz.

Um belo dia, quando eu já estava quase conformado, meu primo Carlos surgiu em casa, com um presente:

"Sei que você adora coisas do mar, Amyr! Vi isto numa loja e achei que você ia gostar para enfeitar o seu quarto."

Abri o embrulho e com o susto quase o deixei cair: era um abajur, muito bonito, decorado com motivos náuticos, e a cúpula, em vez de simples papel entelado, era uma carta marítima. Uma linda carta. A carta de detalhe do porto de Lüderitz, completa, com todas as informações, profundidades e acidentes que inutilmente eu procurei em tantos lugares. Tive vontade de comer o abajur, de tanta alegria. Nunca mais, mesmo depois de ter chegado à África, eu encontraria uma carta tão adequada às minhas curiosidades. Ao colocar a lâmpada, e ver iluminado o porto para onde eu me dirigia, senti um arrepio. Uma silenciosa certeza de que chegaria lá.

Voltei a Paraty, feliz da vida com o meu abajur, e uns meses depois recebi, pelo correio, um envelope do Peter, da Ilha Grande. Numa das últimas viagens à ilha eu lhe contara o incrível caso do Henrique, e ele, fanático radioamador, me dizia na carta ter conseguido contato com um operador de Lüderitz que lhe informara que a 1º de abril daquele ano, 1983, Lüderitz comemoraria cem anos de fundação. O homem de Lüderitz eu o conheceria mais tarde. Era o próprio Gerd.

Nessa época, eu havia acabado de ler o livro de Gérard d'Aboville, o remador francês que cruzou o Atlântico Norte em 1980. Um exemplo de organização. E surgiram algumas dúvidas sobre o seu projeto. Havia falhas inexplicáveis.

Meu barco já estava em construção no Rio de Janeiro e eu não pretendia, em hipótese alguma, repetir erros anteriores. Como resolver as dúvidas? Decidi falar com o próprio D'Aboville, e ver seu barco.

"Impossível!", diziam todos. "Ele nunca o atenderá!"

Paciência, eu ia tentar. Durante a viagem para Caiena, com o auxílio de Lüderitz e de Maurice, através do rádio eu consegui seu telefone, anotando-o num pedaço de papel quadriculado rasgado do diário de bordo.

Decidi ir ao seu encontro e, sem ao menos tentar um contato, desembarquei de trem, poucos dias depois, na estação de Austerlitz, em Paris. O primeiro passo foi em direção a um telefone público, de onde liguei nervoso para o número ainda anotado no mesmo papel quadriculado. Única razão de tão longa viagem.

Que ideia! Para que arriscar uma viagem por um número de telefone? Por que não liguei antes?, me perguntava, quase arrependido.

Atendeu uma simpática senhora e pediu que eu ligasse novamente dali a vinte minutos, pois Gérard não estava em casa. Estava preparando sua mudança e talvez voltasse para o almoço. Era sua mãe, na Bretanha, a uma boa distância de Paris, e o telefone devorava as moedas avidamente.

Se eu fumasse, teria provocado um incêndio! Conseguiria falar com o homem? Os minutos simplesmente não passavam. Tinha comigo um punhado de moedas pequenas que não serviam no telefone e estavam me irritando. Passavam por um furo no bolso da calça e a todo instante caíam no chão ou iam parar dentro do meu sapato.

Enquanto aguardava, andando no mesmo lugar, de um lado para outro, decidi me livrar das inoportunas moedinhas e, numa banca de revistas a poucos metros da cabine telefônica, entre tantas revistas interessantes, comprei a única cujo preço correspondia exatamente à quantidade de moedas que me incomodavam: 14,50 francos.

Sentei no chão, em cima da pasta (minha única bagagem), exatamente embaixo do telefone, para que ninguém o ocupasse. Abri a revista e quase caí de costas: nas páginas centrais estava a reportagem completa sobre o casal que eu conheci em Paraty. A viagem da qual participei e onde havia obtido o papelzinho que agora estava nas minhas mãos: o telefone de D'Aboville. Tantas coisas aconteciam a esse tempo, que eu mal parava para pensar naquela sucessão de misteriosas coincidências.

Os vinte minutos voaram, e quando eu chamei novamente... Sucesso!

Gérard veio a Paris, e não só consegui matar a curiosidade por seu projeto como ganhei um amigo e um importante colaborador. Passamos uma semana analisando o seu barco, estudando soluções para problemas difíceis, examinando as falhas cometidas por outros navegadores.

Queimei naquela semana minhas últimas economias e o último tempo livre de que dispunha, mas valeu a pena a viagem. Voltei trazendo um valioso aval para o meu projeto e, ao mesmo tempo, a mais importante palavra de apoio — a dedicatória de D'Aboville no surrado exemplar do seu livro *L'Atlantique à bout de bras*, que eu carregava por toda parte: *"Pour Amyr, qui réussira!"* ("Para Amyr, que vencerá!").

Mas a série de inexplicáveis coincidências continuaria em Lüderitz — um lugar pequeno, distante e desconhecido mesmo para os mais ousados viajantes. Porto de pesca e de criação de lagostas, sua economia é mais ou menos independente do resto da África. Lugar exótico, que poucos visitam.

Encontrar alguém da Cidade do Cabo constituía um acontecimento em Lüderitz. Qualquer forasteiro que por ali aportasse seria objeto de comentários em todos os bares, aliás muitos, para um lugar tão desabitado. Um europeu? Raríssimo. Um sul-americano por ali? Nunca. Nem pensar. Um brasileiro? Impossível, jamais se encontraria um brasileiro por ali.

Uma noite, durante um jantar num dos únicos restaurantes da cidade, um amigo recente me deu uma surpreendente notícia:

"Uma moça virá jantar aqui hoje, acho que ela é do seu país, Brasil, não é?"

"Uma brasileira de Buenos Aires?", perguntei, irônico.

"Não, não! Uma brasileira do Brasil que vive aqui, e que veio de um lugar muito engraçado, como Lüderitz, um lugar colonial."

Essa não! Tentei adivinhar, mas o homem não se lembrava do nome do lugar. Paraty não poderia ser, é lógico! Alcântara, no Maranhão? Olinda? Salvador? Não, não. Ouro Preto, talvez... Não, não era.

"Paraty?", brinquei.

"Sim, sim! Paraty!", respondeu-me o homem.

Sorri, é lógico, estavam brincando comigo. Por certo tinham lido "Paraty" na popa do meu barco e queriam me pregar uma peça. Mudamos de assunto. Uma hora mais tarde, entraram duas moças no restaurante. Reconheci uma delas. Era Helena, de Paraty.

Surpreso, em pé, não consegui lhe dizer uma só palavra. Naquele fim de mundo! Eu não podia acreditar! As lágrimas corriam-nos pelo rosto e, chorando de alegria, permanecemos mudos. Era simplesmente fantástico. Na manhã seguinte Helena passou para me apanhar com um jipe, e fui conhecer sua casa e sua família.

Ela me contou que deixara quase todas as suas coisas no Brasil e só guardara uma única foto de Paraty que estava colada na parede da sala. Quando entrei, parei diante da parede. Era realmente uma foto de Paraty, em que apareciam uma casa, umas árvores e uma canoa — a minha casa com sótão e tudo, as árvores que plantei no quintal, e no rio a *Rosa IX*, minha querida *Rosa*, com a qual fiz minha primeira viagem, só, de Santos a Paraty; diante dos meus olhos, em Lüderitz, pleno deserto da Namíbia, um fim de mundo, na casa de uma brasileira da minha cidade!

Não, aquilo não era uma sucessão de coincidências: a revista com capa da Namíbia, o contato com Maurice, o encontro com Henrique Lüderitz, o abajur, o número de telefone, o retrato na casa de Helena...

Talvez nunca saiba explicar exatamente o que tudo isso significava, mas compreendi que estava no caminho certo. Entre tantos problemas e presságios negativos, quando tudo indicava que mal conseguiria pôr meu barco na água, uma luzinha me dizia que havia uma saída e que pouco a pouco eu me aproximava dela.

4. UMA FOCA SOLITÁRIA

ACORDEI NO DIA SEGUINTE sobressaltado, dolorido após o esforço feito na véspera. Mal me lembrava de ter deitado para dormir. Encaixado no fundo da popa, eu não sentia o movimento do barco e só via o horizonte e as estrelas passando rápido pela janelinha. Mas, ao me levantar para ir ao trabalho, percebi que o mar piorara bastante durante a noite. Paciência! Agora era comigo mesmo. Tinha um imenso e desconhecido oceano pela frente que na verdade me atraía, e para trás, gravada na memória, uma fase dura, da qual não sentia a mínima saudade.

E comecei a remar. Remar de costas, olhando para trás, pensando para frente. Eu queria me afastar o mais rapidamente possível da costa africana. Avançava com dificuldade, devido às ondas que me molhavam a cada cinco minutos, mas não podia parar. Cada centímetro longe dessa região era de fundamental importância.

Sopram ali, o ano todo, ventos implacáveis, que movem as dunas do deserto da Namíbia e carregam a areia fina, deixando os diamantes à flor da superfície. Diamantes da mais alta qualidade (*gem quality*), lavados pelo mar e polidos pela areia, e em tal extensão que sua exploração é fortemente controlada e delimitada.

É a "zona proibida dos diamantes", que isola toda a costa até Walvis Bay e onde qualquer embarcação que se aproxima não tarda a ser apreendida. Nenhum veículo, por terra, ou ar, que ultrapasse seus limites pode sair dali. Por mar, a mesma coisa. Por outro lado, qualquer aproximação, ainda que de emergência, é impraticável, pois não existe em enorme extensão de litoral um único abrigo ou enseada acessível, ou livre de arrebentação.

Ao mesmo tempo, eu navegava na região que detém o recorde do maior número de naufrágios junto à costa, em tempo de paz, até 1945, de todo o continente africano. Não sem razão. Zona de ressurgência fria, com turbulências térmicas e ondas acima da altura média para sua latitude, a navegação por essas águas é dificultada por fenômenos anormais surgidos com as bruscas variações de temperatura. Como os ventos súbitos e quentes, *berg winds*, que vêm do deserto e, de tão secos, fazem as pessoas sangrar pelo nariz, e que, formando colchões de ar quente e frio, alteram a propagação de ondas de rádio ou mesmo de televisão por grandes distâncias. Ou, então, as calmarias repentinas que, com a variação da densidade do ar, provocam a chamada "refração anormal", e fenômenos ópticos como "miragem inferior" e "miragem superior", que, distorcendo perigosamente o horizonte e as observações astronômicas, alteram os cálculos de navegação com falsas posições.

O *Africa Pilot*, uma publicação para auxílio à navegação, obrigatória a bordo de qualquer navio e normalmente bastante técnica e sem emoção, à página 157 faz uma assustadora descrição da costa que ainda me perseguia:

WALVIS BAY A LÜDERITZ
Carta 632 — 8.31
Nada pode ser mais inóspito do que o aspecto da costa entre Walvis Bay e a foz do rio Orange, 375 milhas ao sul. É formada por uma longa barreira de montanhas de areia, exceto a parte situada entre Spencer e Hotentot Bays, onde há uma cadeia de áridas e desoladas dunas de 150 a 180 metros de altura, mais impressionantes em aspecto, se é que é possível, que o resto da costa. A maior parte desta costa, designada "área proibida", situa-se na zona de extração de diamantes.

Tantas vezes eu havia lido esse parágrafo que já o sabia de cor. "Que diabo vim fazer aqui, neste lugar maluco?", me perguntava em voz alta. E, remando em silêncio, respondia: "Tentar sair daqui".

De fato, nada colaborava para que eu achasse normal a paisagem à minha volta. Ondas completamente descontroladas, águas escuras, tempo encoberto, um barulho ensurdecedor. Por onde andariam as tranquilas águas azuis do Atlântico de que tanto ouvi falar? Sem dúvida, longe da África.

E tão preocupado estava em me afastar que esqueci por completo o radiocontato que estava combinado para as 16:00 GMT com o Brasil. Encontrei, por milagre, a antena sobressalente que eu tanto relutei em levar, mas preferi, mesmo assim, não ligar o rádio. Devido ao mau tempo, não foi possível calcular minha posição, e não havia mesmo boas notícias para mandar.

No fim do dia, ao me levantar para amarrar os remos e jogar a biruta no mar, antes de ir dormir, olhei para o horizonte e, em vez de mar, como imaginava, o que vi? As dunas do deserto! Durante a noite, enquanto dormia, o barco derivara de volta e eu me encontrava novamente junto à costa.

Foi uma noite terrível, em que tive um sonho que se repetiria muitas vezes — um porto deserto com todos os navios enferrujados e encalhados na areia. Seria esse o destino da minha "lâmpada flutuante"?

Naquela mesma noite fui acordado diversas vezes por ondas que golpeavam o barco com impressionante violência. O mar parecia ter enlouquecido e não havia mais nada que eu pudesse fazer a não ser permanecer deitado e rezar. Choques tremendos, um barulho assustador, tudo escuro; adormeci. E acordei, deitado no teto, quase me afogando em sacolas e roupas que me vieram à cabeça. Tudo ao contrário: eu havia capotado. Indescritível sensação. Estaria sonhando ainda?

Não. Alguns segundos, outra onda e tudo voltava à posição normal em total desordem!

Mal tive tempo de analisar o que se passou, e o mundo deu novamente uma volta completa, tão rápida que nem cheguei a sair do lugar. Lembrei-me da blusa verde, que ganhei da Anne Marie, solta no *cockpit*, e dos remos — estariam ainda inteiros no seu lugar? Impossível descobrir naquele momento. Precisava tirar a água primeiro. Não havia tempo para pensar. Sem que eu parasse um minuto de acionar a alavanca da bomba, o dia começou a nascer e pude então perceber o tamanho da encrenca.

Ondas altas, altíssimas, vindas de todos os lados e que, ao se encontrarem, explodiam para cima. A superfície do mar, totalmente desordenado, estava branca. A espuma, subindo pela borda e passando pela janelinha, me poupava daquele terrível e irreal cenário. Cercado de ondas que despencavam em estrondos, não tinha certeza se estava realmente flutuando. Vales e montanhas de água em desesperada batalha, em louco movimento. Jamais imaginei algo parecido. Seria normal tudo aquilo? Quanto tempo resistiria àqueles choques? Como um bonequinho de tiro ao alvo, que não sabe quando será acertado, eu ficava esperando por ondas que ouvia mas não podia ver...

Senti o barco subir mais uma vez e, quando estava exatamente na crista de uma onda, alguma coisa soltou-se e despenquei no vazio. Algo de errado acontecia. Fui projetado com força contra o teto e aí ouvi o estrondo da arrebentação passando por cima. Mais uma vez o mundo estava de pernas para o ar.

Os segundos passavam e nada acontecia dessa vez. Eu tinha no fundo do barco um sistema de tanques flexíveis de borracha, embaixo dos tanques de água doce, previsto para uma eventualidade como essa. Eram tanques de lastro que, abastecidos com duzentos litros de água, fariam o barco retornar à posição normal. Pensei, então, em acionar a bomba de lastros. Mas não foi preciso. Mal tentei me virar para alcançar a alavanca da bomba, o barco endireitou. Que alívio!

Talvez não tenham passado três minutos, mas cada minuto foi uma eternidade. O barco parecia solto, correndo instável com o mar, descendo as ondas em velocidade. Vesti o casaco vermelho, saí rápido para fora, e minhas dúvidas se confirmaram: o cabo da âncora de mar, um forte cabo de 10 mm de diâmetro, se havia partido como se fosse linha de costurar, e dele não restavam mais que três dos sessenta metros que seguravam a âncora de mar.

Precisava preparar outra biruta com pelo menos outro tanto de cabo para evitar que o barco ficasse de través para as ondas e capotasse novamente. Os dedos tremiam ao fazer os nós e as emendas. Estava nervoso, e precisava ser rápido.

O vento há muito havia ultrapassado os 55 nós de velocidade, e as ondas já beiravam os nove metros de altura com borrifos de espuma que mal me deixavam enxergar. Mas os remos todos estavam no lugar, nenhum se havia quebrado, e a blusa verde, enroscada na ponta de um dos arpões, após três capotagens sucessivas, não me abandonou. Senti uma grande alegria ao vê-la, e um profundo orgulho do meu barquinho. Ele cumpriu seu maior compromisso — o de ser um "joão-teimoso", e provou que era um forte. Dificilmente outra embarcação, por maior que fosse, teria se saído de situação tão negra com tanta integridade.

Numa operação delicada, atado ao cinto de segurança, escorreguei deitado até a proa, passei o cabo da nova biruta pelo olhal e voltei para dentro, fechando a portinhola justo a tempo de evitar a visita de outra onda. Dentro, que delícia! Tudo seco ainda e, ante a total ausência do zunido ensurdecedor do vento, podia ouvir minha própria respiração.

Troquei as roupas molhadas e deitei exausto. Adormeci pensando na surpresa que tive antes de entrar. Uma pequena gaivota, pousada na água a menos de dois metros de distância, que, arrepiada, procurava se abrigar do borrifo das ondas e do vento junto à minha sombra.

Seus olhinhos pareciam dizer algo. Estávamos solidários naquela difícil situação. Ao abrir os olhos, duas horas depois, o mar continuava forte, mas o vento sul tinha diminuído. Dei um berro de alegria e saltei para os remos. Não, África! Não seria desta vez.

Antes de escurecer armei a antena de rádio, dessa vez presa com três tirantes e, faltando um minuto para a hora combinada, entrei no rádio. Estavam todos na escuta; o maravilhoso Álvaro, que me fez as antenas e as bobinas; o Alex, de São Paulo; o Ronaldo, de Vitória; e outros tantos que não conhecia. Só não pude mandar minha posição, pois ainda não havia céu para observações. Mas foi um comunicado excelente. Informei que, apesar do tempo execrável, tudo ia bem a bordo e a "tripulação" estava animada.

Engraçado como o nosso estado de espírito é relativo. Aparentemente, o lugar e a situação em que me encontrava não eram motivos de nenhuma alegria, mas o fato é que as três capotagens me deixaram eufórico. Eu deveria ter feito um teste de autoendireitamento do barco muito antes de iniciar a viagem, e isso acabou não acontecendo. Eu acabava agora de passar pela prova de fogo do projeto.

Após desarmar a antena e cuidadosamente amarrar os remos, já noite, entrei para a cabine, onde um estupendo jantar me aguardava. Depois de doze horas de um sono polar, o quarto dia de viagem foi dedicado unicamente ao trabalho. O vento caíra bastante, rondara para sudeste, e eu podia remar, quase sem me molhar, no rumo ideal — oeste.

Avistei por volta das dez horas um pesqueiro e, logo após, um navio, a uma milha, na direção do continente. Poderia tê-los chamado em VHF (todos os barcos sempre têm escuta automática no canal 16) e pedido uma confirmação de posição, que eu ainda não tinha, mas deixei-os sumir no horizonte. Sabia que ainda não estava completamente livre de ser lançado à costa por uma tempestade, e não me sentia à vontade para falar com ninguém da África sobre isso.

Recebi a simpática visita de uma turma de golfinhos brincalhões, que não quiseram ficar para o almoço. Remei sem parar até a hora do jantar e fui para o fogão. Eu cozinhava numa minipanela de pressão acoplada a um fogareiro de acendimento automático que utiliza cargas descartáveis de gás butano. Aos poucos, entrosando-me com as lides da cozinha, já não perdia mais tanto tempo para arrumar o conjunto — instalado no fundo, junto à cama, de modo que não houvesse risco de queimaduras — e em menos de vinte minutos o jantar já estava servido.

Perdi a hora no quinto dia e acordei surpreso. Um raio de sol entrava pela janelinha. Ao sair, não queria crer nos meus olhos: "navegando em mar de azeite", diria mais tarde pelo rádio. Sem um pingo de vento, ou um centímetro de onda sequer, era difícil imaginar que fosse o mesmo Atlântico de uns dias atrás. Mais que tudo, era surpreendente o silêncio, a sensação de vácuo nos ouvidos, depois de quatro dias ensurdecedores. Podia, finalmente, sentir o barco andar com a força de minhas remadas, e ouvir o ruído da proa deslizando para longe da África.

Uma nova gaivota me fazia companhia. Muito engraçada, chegou a me pregar alguns sustos com seus grunhidos que pareciam vozes humanas a distância. Pousada na água, esperava que eu passasse junto dela e, quando me afastava, levantava voo e pousava mais à frente, exatamente por onde eu voltaria a passar.

Divertida brincadeira que me distraía enquanto atravessava horas seguidas de trabalho. Encerrei o dia com uma anotação no diário: "O mais belo pôr do sol da história". Não me conformava com o silêncio: podia ouvir a grande distância sons além do horizonte, vozes que ainda estavam na memória.

Já noite, gaivotas pescando, peixes saltando no ar, diante de tanta calma estiquei a jornada de trabalho até meia-noite, quando fui traído pelo silêncio. Um longo suspiro à proa. Golfinhos, pensei. Larguei os remos e virei-me (eu remava de costas). Iluminada pelo luar, a menos de vinte metros, estava uma baleia. Imensa, imóvel como uma laje. Tive que intervir vigorosamente nos remos, para não atropelá-la. Que fazia parada ali? Dormia, talvez.

Passei por ela remando quieto, com a ponta dos dedos, para não incomodá-la, até que sumiu para trás. Doce ilusão: subitamente ela se levantava à proa exatamente como a engraçada gaivota fizera durante o dia. Mas agora eu não achava graça nenhuma. Tentei de novo passar despercebido, sem sucesso. A brincadeira continuou por mais de uma hora, até que me rendi e fui dormir. Sem dúvida, eu estava sendo investigado por novos companheiros.

Eu consegui, enfim, uma posição pelo sol, que foi recalculada uma dúzia de vezes. Colocava-me a 115 milhas de Lüderitz, mas a somente sessenta milhas da costa. Não era um mau resultado em cinco dias, considerando o tempo e a adaptação a uma vida que ainda me era estranha — mas precisava melhorar o rendimento. Nesse ritmo eu chegaria ao Brasil em 140 dias, quando planejava gastar 109 apenas.

Eu levava provisões para pelo menos 150 dias, mas, honestamente, não tinha planos de passar um mês a mais no mar. Ao mesmo tempo, era urgente aumentar essa distância da costa. Se entrasse uma tempestade de oeste por mais três dias, minha situação se complicaria bastante. Resolvi tomar uma atitude enérgica.

Até então eu trabalhava sem um horário determinado, de acordo com minha disposição e vontade, e observei que o maior problema de passar oito a dez horas nos remos não estava no esforço físico necessário — eu remava num ritmo lento e equilibrado, e só no dia anterior havia acumulado mais de dezesseis horas de trabalho —, mas apenas em fazer as horas fluírem. Havia horas, no fim do dia, que consumiam séculos para passar.

Não era esgotamento físico o que mais incomodava, mas o cansaço psicológico pela monotonia do trabalho. Só havia uma solução: instituir um horário fixo de trabalho, com intervalos definidos para descanso e para as refeições. Estabeleci uma jornada de oito horas por dia, e aprovei como adendo da legislação trabalhista de bordo um limite máximo de duas horas extras. Assim, remaria um mínimo de oito horas e um máximo de dez horas líquidas a cada dia.

Concluí que seria melhor manter uma certa regularidade e não piques eventuais de trabalho (como fizera na véspera) que me deixariam imprestável na manhã seguinte.

No domingo, os resultados já eram evidentes. Os dias passaram voando e o rendimento melhorara enormemente. Estava agora a 120 milhas da costa e a mais de 170 de Lüderitz; encontrava tempo para tudo e não mais precisava voar sobre o jantar para terminar de lavar a louça antes que escurecesse.

Esse foi um domingo de grandes comemorações. Completava uma semana no mar, e fiz uma enorme festa, com música, doces e chocolates, e até mesmo uma velinha. Só faltou o bolo.

Pelo rádio, falei com meu pai. Pressentindo a minha dificuldade em responder quando estaria de volta, entrou na frequência um radioamador de voz forte e decidida: "MUITO — BEM — AMYR — VOCÊ — ESTÁ — EXATAMENTE — DENTRO — DA — CORRENTE — QUE — VAI — LHE — TRAZER — À — BAÍA — DE — TODOS — OS — SANTOS — DE — SÃO — SALVADOR".

Jamais, em momento algum, alguém poderia ter injetado maior dose de confiança em uma pessoa. Era o Ayres, PY1 ASI, a bordo de um supertanque da Petrobras, o *Felipe Camarão*, que estava naquele momento no Mediterrâneo. Formidável pessoa, que a partir daí estaria sempre presente com seu otimismo em todos os QSOS.

Remando até o sol se deitar, ouvi um barulho na água. Incrível! Era uma foca brincando perto da popa. Já tinha visto muitas focas ainda próximo da costa, mas a duzentos quilômetros era impressionante! Uma foca solitária nadando de costas, acenando para trás com as nadadeiras e indo para a frente como quem sabe aonde vai. Continuei remando. Remando de costas, olhando para trás. Pensando na foca solitária.

5. UM MONTINHO DE OSSOS NA COSTA DOS ESQUELETOS

SURPREENDIDO POR UMA ONDA na contramão, não tive como escapar e levei um banho gelado. O cabelo pingando, as roupas encharcadas e um fiozinho de água escorrendo pela nuca e descendo as costas, por dentro da blusa, coroavam uma típica segunda-feira. Como um gato molhado, me enxuguei chacoalhando a cabeça, para não tirar as mãos dos remos.

O trabalho começou cedo, ainda no escuro, após um sublime café da manhã, que levou quarenta minutos para ser consumido. O mar estava agitado novamente, e o barômetro, caindo aos poucos, anunciava uma nova depressão. Mas não me incomodava mais com isso.

Na verdade, o grande problema não era a força do mar, mas sua direção; enquanto as coisas continuassem como estavam, e eu pudesse remar na boa direção, não teria com que me preocupar. Avançando no rumo noroeste, praticamente deixava para trás a "zona proibida" dos diamantes, e minha nova e afinal última preocupação em relação à África seria a Costa dos Esqueletos, que se inicia a partir de Walvis Bay, para o norte da Namíbia.

Trata-se de uma região árida e perigosa, onde carcaças de navios trazidos por tempestades ou enganados por uma costa em contínuo movimento — e por isso mesmo difícil de ser cartografada — jazem entre dunas amarelas como se estivessem navegando na areia. O *Edward Bohlen*, que ali naufragou em 1909, encontra-se hoje a mais de um quilômetro do mar, fantasticamente derivando em um deserto, onde a ausência de homens e os esqueletos de seus barcos são o testemunho da intolerância do clima. Um deserto que avança sobre o mar sem lhe respeitar a força.

À noite o vento de novo alcançou quarenta nós. O mar fazia muito barulho e foi difícil dormir. Volta e meia alguma onda passava por cima, enchendo o *cockpit*. A cada trinta minutos me levantava, estendia o braço até a alavanca da bomba e, sem abrir os olhos, num movimento contínuo, ia contando as bombadas até que ouvisse, do lado de fora, o característico ruído do poço seco. O *cockpit*, ou seja, a parte aberta do barco, onde eu remava, era autoesgotável, à exceção do poço onde fica o finca-pé, que acumulava a água das ondas que entravam. Não havia mal nenhum em deixá-lo cheio durante a noite, mas eu preferia sempre esvaziá-lo: 77, 78, 79 bombadas... Enfim, vazio! E me deitava.

Esse ritual contínuo durante as noites de mau tempo, em que dormia um sono leve e em que partia em sonhos distantes, me ajudou a desenvolver uma interessante qualidade — a de, ao estar sonhando e ter que acordar para esvaziar o poço, conseguir retornar ao mesmo sonho sem interromper o seu curso. Muito divertido, pois aos poucos eu conseguia influir no desenrolar dos sonhos. E, depois de praticar esse exercício seguidamente durante algum tempo, podia até mesmo selecionar, entre alguns que já conhecia, o meu preferido. Houve sonhos que bateram verdadeiros recordes de audiência.

Dormindo, passei por grandes aventuras. Vivi amores impossíveis e viajei para lugares fantásticos. Ao acordar, às vezes começava a remar com cãibras de tanto rir das peripécias por que passara. Mas sempre estava bem-disposto depois de oito horas de total esquecimento.

Essa segunda semana no mar não foi das mais famosas. O tempo continuou ruim e por dois dias seguidos não foi possível remar. Obrigado a permanecer em casa, aproveitei o súbito feriado para fazer curativos nos dedos e, quem diria, na bunda. As bolhas nas mãos haviam se transformado em calos e não eram mais problema, mas no outro extremo a situação adquiriu uma certa gravidade.

Lembrei-me do Hermann, companheiro de seis anos de remo e meu maior amigo. Único remador do Clube Espéria, em São Paulo, que usava uma almofadinha de espuma para solucionar esse problema pela raiz, ele foi eterna vítima de gozações, mas nunca desistiu da almofadinha. Nem mesmo quando, um dia, numa regata no quatro-sem, pelo campeonato paulista, a almofadinha enroscou-se nas rodinhas do assento e nós perdemos por um segundo. Eu, que fora um de seus fiéis algozes e constante sequestrador da almofadinha, agora, por ironia do destino, dependeria de uma para chegar ao Brasil.

Por sugestão do Hermann e contra a minha vontade, o fabuloso Ferreira preparou, com todo carinho, uma placa de espuma indeformável, cortada no tamanho do assento. Pensando que nunca me serviria dela, e que como bom remador logo me habituaria à dureza do carrinho, deixei-a jogada num canto perdido. O orgulho de remador durou pouco e custou caro. Passei a usá-la definitivamente, sob pena de não poder mais sentar em lugar nenhum.

Descobri, ao mesmo tempo, a origem dos cortes nos dedos — um grande mistério, pois não me lembrava de nenhum acidente: eram os rebites dos bolsos laterais da minha calça que, a cada remada, roçavam nos dedos, ferindo-os, sem que eu percebesse, por causa do frio.

Na quinta-feira, início do inverno, tive um longo comunicado com o Brasil. Falei com o Maurício, com o Henrique Lüderitz e com muitos amigos espalhados nas casas do Alex e do Álvaro, em São Paulo. Voltei a falar com o Ayres, a bordo do *Felipe Camarão*, e percebi que eles estavam inquietos com a posição que eu mandara. Era uma posição estimada, pois, com o mau tempo, não foi possível encostar no sextante, mas que após onze dias de viagem ainda me deixava perigosamente próximo da costa. Informei que já havia cruzado o trópico de Capricórnio e que o rendimento estava baixo por causa do tempo ruim, mas que melhoraria.

Eterno brincalhão, o Maurício foi o único que entendeu a importância das três capotagens e estava eufórico com o sucesso do "joão-teimoso". A notícia deixou os radioamadores mais preocupados do que eu supunha. De qualquer modo, o comandante Wangler, do *Felipe*, estava certo. O rumo a seguir deveria ser oeste puro até que alcançasse o meridiano 10° Leste.

Decididamente eu não pretendia me transformar em mais um montinho de ossos na Costa dos Esqueletos, e, a partir daí, redobrei a energia das remadas em direção ao poente.

Na sexta-feira, 22 de junho, ao me levantar, o vento parecia mais amigo e as ondas menos confusas. Acendi a velinha amarela (que funcionava tão bem quanto a iluminação da cabine, com a vantagem de não incomodar as baterias), inestimável presente do Hermann, aproximei-a da face interna da bússola e, animado com a direção das ondas, comecei a preparar o café. Estava morto de fome.

Cereais com leite, torradas com geleia, queijo, mel, suco de laranja, gemada. Quase terminando uma barra de chocolate, ouvi um raspão no fundo e senti um leve balanço no barco. Parei de mastigar, prendi a respiração. O que seria? Outro raspão, mais outro, e, ainda com a boca cheia, sem engolir, saí para fora da cabine. No escuro, pude ver a sinistra sombra de uma barbatana que se afastava. Foi a primeira de uma série de visitas que nem sempre seriam muito simpáticas.

Durante o dia, com mar tranquilo e céu claro, condições ideais para tomar a altura do sol, consegui uma posição bastante precisa que confirmou a exatidão das minhas estimativas nos dias anteriores.

A noção de posição era fundamental. E, numa região de correntes fortes e às vezes variáveis, apoiando-se somente no rumo indicado pela bússola, era quase impossível chegar a uma estimativa decente do meu progresso.

Aos poucos o céu passou a ser mais importante que o mar. Habituava-me aos humores do tempo, às ondas desencontradas que vinham de surpresa com inesperados banhos, ao balanço contínuo e ao movimento do *swell* que transformavam a paisagem à minha volta, formando vales e colinas, impressionantes e inofensivos ao mesmo tempo.

Mas o meu interesse voltava-se para cima do horizonte. Remando de madrugada, antes do crepúsculo, em vez de acender a luz da bússola para não perder a direção, orientava-me pelas estrelas, fazendo marcação em alguma mais brilhante e usando como mira a antena de VHF, que, ao contrário da outra, permanecia sempre instalada. Até o nascer do sol, a cada meia hora checava o rumo seguido na bússola com a estrela marcada e, se fosse necessário, mudava para outra estrela, à medida que fosse variando seu azimute.

Se, de um lado, tudo estava em movimento, brusco ou lento, o barco balançando, as ondas correndo, ou as nuvens e os astros que discretos se moviam, por outro lado descobri uma exceção — algo imóvel e estável —, a linha do horizonte. Única forma fixa no oceano, era dele que precisava para conseguir minhas posições, e, ao se encontrar perdido entre nuvens baixas ou escondido atrás de altas ondas, fazia-me sentir um pouco triste.

O horizonte, linha perfeita e segura, fronteira do destino que se renova eternamente e que abriga nossos objetivos, passou a ser meu ponto de apoio e companheiro de viagem. Enquanto estivesse à vista, sentia-me disposto e em segurança; mas, quando desaparecia ou tornava-se ondulado, sabia que era melhor amarrar bem os remos antes de ir dormir.

Uma estranha barbatana surgiu durante o dia, mas, tímida, não se aproximou. Tentei, por todos os meios, identificar o proprietário, que não se apresentou, mas não tive sucesso. Dava voltas à popa do barco, de modo que pudesse avistá-la, sempre a mais de trinta metros de distância, como se quisesse se mostrar sem ser reconhecida. Insuspeita e elegante, era demasiado alta e delgada para ser de um tubarão normal. Cortando a água como faca afiada, e inclinada não só para trás mas também para o lado, como um veleiro adernado pelo vento, passou o sábado inteiro a desafiar minha curiosidade e saiu-se vencedora. Nunca mais voltou, e dela só permaneceu uma anotação do diário: "16:30 GMT — a barbatana misteriosa não se revelou".

Comemorei a passagem da segunda semana em grande estilo. Com incríveis ondas de dez a quinze centímetros de altura, e ventos de força "0", remei, pela primeira vez, sem camisa.

Domingo esplêndido de sol. Termômetro a 22°C e barômetro estável em 1017 milibares. Posição: 22°30 de latitude sul e 10°40 de longitude leste, rendimento fraco nas últimas horas, mas em excelente direção: 298° RV. Já ultrapassara a latitude de Walvis Bay e ganhara boa distância da costa.

O cardápio anunciava sopa minestrone, frango ao molho *de-*

mi-glacé e arroz com salada de legumes. A sobremesa foi servida na varanda: biscoitos de goiaba, banana-passa, creme de amêndoas e chá com mel, ao som das mágicas cantorias de Elomar. Permiti-me uma *siesta* de vinte minutos antes de voltar ao trabalho e, passeando os olhos num mar raramente tão calmo, surpreso com a ausência do balanço das ondas, fui brindado com a passagem de um grupo de baleias, a mais ou menos duzentos metros de distância.

Pareciam atrasadas para algum compromisso e nem se detiveram. Seguiam na mesma direção que a minha — oeste, para o Brasil — e sumiram no horizonte. Fui atrás. Quem sabe nos encontrássemos de novo, além dessa fantástica linha que eu tanto perseguia: o horizonte.

6. O CAMINHO CERTO

PY2 KAQ MM É PY1 ASI MM DO *Felipe Camarão*, aqui por Gibraltar. 100% copiado. Chegando alto e claro. Excelente posição. Agora você está na "Z.M. Trades". Não se preocupe, o tempo vai melhorar. O comandante e toda a tripulação do *Felipe Camarão* torcem juntos por você. Deus te acompanhe, Amyr. PY2 KAQ MM de PY1 ASI MM.

Vinte e oito de junho. Deliciosa sensação ouvir o Ayres com sua voz segura e seu sotaque baiano.

De fato, não era tão terrível minha posição. Estava finalmente a mais de duzentas milhas da costa mais próxima e já começava a pensar no futuro, numa distante ilha chamada Santa Helena, pelo menos um mês à minha frente.

À medida que ganhava distância da África, aumentava minha confiança no barco e a certeza de que um dia deixaria para trás a ilha onde Napoleão perdeu sua última batalha. Que grande dia seria esse! Que significativa vitória! Eu teria, então, provado que meus planos estavam certos e que a mais importante chave para o êxito da travessia estava há muito em minhas mãos: a rota.

Numa faixa larga, traçada dois anos antes e pintada de vermelho, estava a minha segurança — a certeza de que o projeto era viável. Passando em suave curva entre as ilhas oceânicas de Ascensão e Santa Helena, e ligando a costa da Namíbia ao litoral baiano, essa faixa indicava os limites de navegação em que deveria me manter. Apesar da predominância de ventos de sul e da forte tendência de deriva para o norte, o esforço que eu fazia para me manter dentro da rota prevista era menor do que o trabalho que tive, ainda em terra, para definir a trajetória ideal.

Dois anos de estudo foram consumidos nessa operação, em que não faltaram discussões apimentadas e dúvidas perturbadoras.

A viagem de veleiro para Caiena fazia parte desse trabalho. As intermináveis investigações em bibliotecas e tratados de navegação também. Mas o maior problema talvez tenha sido a escassez de dados e informações a respeito do assunto. Baseei-me sobretudo nas *Pilot Charts* inglesas e americanas e em outros estudos sobre correntes e ventos do Atlântico Sul fornecidos pela Diretoria de Hidrografia e Navegação, da Marinha (DHN).

No mar, o menor caminho entre dois pontos não é necessariamente o mais curto, mas aquele que conta com o máximo de condições favoráveis. Assim, mesmo um poderoso superpetroleiro é obrigado, às vezes, a desviar seu caminho para ganhar, em tempo e segurança, o que perde em distância. No meu caso, tendo como única propulsão um par de remos, o estudo do regime de ventos e correntes tornava-se fundamental.

É impossível remar 24 horas por dia. Assim, enquanto estivesse dormindo e o barco ficasse à deriva, era importante contar com correntes, se não favoráveis, pelo menos que não me viessem pelo nariz, roubando durante a noite o que eu ganhava, com muito esforço, de dia.

Esse estudo descartou, por exemplo, a hipótese de cruzar o Atlântico de Serra Leoa ao cabo Calcanhar, no Rio Grande do Norte, num percurso de apenas 1500 milhas náuticas (contra as 3700 do meu percurso) por uma região quente e relativamente tranquila.

A minha rota, longa, fria e tempestuosa, contava, no entanto, com correntes favoráveis na quase totalidade do trajeto e com a preciosa regularidade dos alísios de sudeste que unem o Sul da África ao Nordeste brasileiro. Caminho difícil e longo, mas o único possível para um barquinho a remo.

Para atravessar o mau tempo e as depressões do caminho mais longo, bastaria um barco forte e bem estudado; mas, para vencer com os braços o fluxo contrário do caminho mais curto, nem toda a disposição do mundo seria suficiente.

Como os antigos navegadores que, com suas velas quadradas, não podiam vencer ventos e correntes contrários e eram obrigados a aceitar os rumos ditados pelo vento, eu me valeria, não da força para ir contra as correntes, mas da astúcia em saber acompanhá-las. Por essa razão, seria necessário um especial cuidado em respeitar os limites da faixa ideal de navegação que eu havia traçado.

Se escapasse dessa faixa pelo norte, o que era muito fácil até Santa Helena, entraria na zona de convergência intertropical, próxima ao equador, e não só se tornaria difícil alcançar Salvador como seria possível que não conseguisse tocar o Brasil e fosse dar na América Central. Se deixasse a faixa pelo lado inferior, indo demasiadamente para o sul, a partir de Santa Helena haveria o risco de entrar no centro de alta pressão do Atlântico Sul — o *High* — e, sob a influência de correntes que seguem para o sul e retornam à África, eu teria poucas chances de chegar ao Brasil.

Santa Helena era o grande teste. Passando ao norte da ilha e ao sul de Ascensão — outra ilha de bandeira britânica situada 703 milhas a noroeste —, exatamente entre as duas, encontraria a corrente equatorial sul-atlântica de águas quentes e menos agitadas, e o caminho em direção ao Brasil estaria garantido. Dependeria então da corrente do Brasil, também quente, para ir descendo até a Bahia.

Essas correntes acompanham um regime mais amplo, denominado Sistema Anticiclônico do Atlântico Sul. Todos os oceanos são caracterizados por semelhantes sistemas onde, em torno de um centro de alta pressão, define-se um movimento circular e contínuo de ventos e correntes, explicado pela "força de Coriólis", resultado do movimento de rotação da Terra (de oeste para leste) e das diferenças de temperatura e, consequentemente, de pressão entre as calotas polares e o equador.

No Atlântico Sul, esse movimento faz-se no sentido anti-horário, eternamente subindo a costa africana e descendo a costa brasileira. No Atlântico Norte dá-se o contrário: o movimento faz-se no sentido inverso (horário), continuamente subindo a costa americana e descendo a costa europeia em torno do centro de alta pressão dos Açores.

Esses eixos de alta pressão não são necessariamente zonas perigosas, mas são evitados em navegação a vela, pois ali os ventos são muito variáveis e as correntes inconstantes. Pela mesma razão, as regiões de convergência entre sistemas, caracterizadas por calmarias e borrascas violentas, são de navegação difícil para embarcações não motorizadas.

Estudando a fundo o mecanismo dos ventos e correntes, e suas exceções, algumas dúvidas que sempre tive em relação a métodos antigos de navegação começaram a ser respondidas.

As caravelas portuguesas representaram um notável avanço, em relação às embarcações antigas, ao introduzirem, no início do século XV, as primeiras velas triangulares ou latinas. Mas ainda conservavam algumas velas quadradas (ou redondas, como se diz) suspensas em vergas, e sua capacidade de orça, ou seja, de navegar contra o vento, era bastante limitada. Em navegação costeira, podiam superar alguns obstáculos até então intransponíveis para as velas quadrangulares das cogas medievais, mas em navegação oceânica dependeriam sempre de ventos favoráveis. Como puderam então alcançar terras tão distantes, unir continentes e depois regressar, se os ventos que sopravam a favor na ida eram contrários na volta? Simplesmente nunca retornando pelo mesmo caminho. Acompanhando o movimento circular dos anticiclones e aproveitando-se de variações locais e sazonais, o caminho de volta, às vezes, era mais longo, mas sempre existia. Ao mesmo tempo, os portugueses gozavam de posição geográfica altamente estratégica em relação aos sistemas do Atlântico Norte, Atlântico Sul e Mediterrâneo, pois estavam sob a influência dos três. O estudo desses sistemas revela a ordem de acontecimentos históricos, novas descobertas, e mesmo da ocupação econômica dessas novas terras, sob um ângulo diferente e interessante.

Vencido o temido e famoso cabo Bojador, em 1434, por Gil Eanes, após anos seguidos de tentativas frustradas, a expansão portuguesa avançou com notável rapidez até o golfo da Guiné. Por que a partir daí foi tão lento e difícil o reconhecimento da costa africana em direção ao sul? Por causa da corrente de Benguela e dos alísios de sudeste que sobem fortes a costa da África, constituindo firme obstáculo para os barcos que seguissem costeando em direção ao sul.

O caminho para as índias só foi sendo descoberto quando, mudando de tática, os navegadores portugueses se afastaram do continente em direção a oeste, adentrando o "mar tenebroso" para evitar os ventos contrários e a corrente de Benguela, e assim poderem baixar para o sul.

Diogo Cão, o primeiro a adotar a arriscada rota numa época em que se navegava por rumo e estima, de porto em porto, quando perder de vista a terra era exceção, ao guinar novamente para leste, depois de semanas sem ver terra, alcançou a Costa dos Esqueletos em 1485, e deixou como marco do grande avanço uma cruz de pedra, no cabo que hoje se chama Cape Cross.

Fernando Pessoa, que viveu dez anos na África do Sul, em seu livro *Mensagem* diz:

> *O esforço é grande e o homem é pequeno.*
> *Eu, Diogo Cão, navegador, deixei*
> *Este padrão ao pé do areal moreno*
> *E para deante naveguei.*
>
> *A alma é divina e a obra é imperfeita.*
> *Este padrão signala ao vento e aos céus*
> *Que, da obra ousada, é minha a parte feita:*
> *O por-fazer é só com Deus.*
>
> *E ao imenso e possível oceano*
> *Ensinam estas Quinas, que aqui vês,*
> *Que o mar com fim será grego ou romano:*
> *O mar sem fim é portuguez.*

Com sua experiência e conselhos, Diogo Cão abriu a porta do "mar sem fim" para que, finalmente, Bartolomeu Dias descobrisse o cabo da Boa Esperança, e Vasco da Gama, o caminho para as Índias.

E na rota de ambos, sem dúvida, o Brasil estava mais perto, muito mais perto, do que a África. Por essa razão, pode-se dizer que Cabral, quando seguia para as Índias, não aportou aqui por acaso. Simplesmente aliou uma tática de navegação, obrigatória para se dobrar a África, ao interesse de investigação e reconhecimento das terras que, já se sabia, existiam a oeste, e de ambos os lados de um diplomático meridiano estabelecido com propositalimprecisão, seis anos antes: Tordesilhas.

Vasco da Gama, após escala nas ilhas do Cabo Verde, a noroeste da costa do Senegal, passou 97 dias sem avistar terra até alcançar o Cabo, depois de uma grande volta e um longo afastamento que o trouxe muito perto de antecipar o feito de Cabral. A imprecisão desse afastamento, ou seja, do avanço em longitude, é fácil de ser entendida. A direção no mar era dada pela bússola, ou "marineta", e, até o século XV, de forma bastante imprecisa, pois ainda não se conhecia a declinação magnética (variação, em graus, entre o norte geográfico, ou verdadeiro, e o norte magnético). Com o quadrante, ancestral do meu precioso sextante, obtinha-se, através da medição da altura meridiana do sol, a latitude (distância medida, a partir do equador, em graus), com precisão relativa. Mas a longitude (distância medida a partir do meridiano de Greenwich, para leste ou oeste, cujo cálculo depende do conhecimento exato de hora, minuto e segundo) só passou a ser calculada, de modo preciso, com o advento do cronômetro marítimo, em 1782. O que explica a impossibilidade, por dois séculos e meio, de se determinar a posição do famoso meridiano. Assim, a posição (dado mais importante que a direção em navegação oceânica) era estimada naquela época unicamente por latitude.

Os navegadores de então, que guardavam a sete chaves os segredos do cálculo da latitude, em parte como forma de manutenção da autoridade nos navios, podiam calcular em que altura se encontravam, em relação ao equador, e por isso eram capazes de alcançar um determinado ponto geográfico conhecido; mas tinham sérias dificuldades para avaliar o quanto estavam afastados desse ponto em graus de longitude e quando nele chegariam.

As instruções de Vasco da Gama, relativas ao roteiro das Índias que Cabral deveria fazer, deixam clara a noção que já se tinha do regime "circular" de ventos do Atlântico ao mencionar a grande "volta do mar" que deveria ser seguida até o cabo da Boa

Esperança. No Atlântico Sul, a esse grande desvio (imposto pelos alísios de sudeste e ajudado pelas correntes sul-equatorial e do Brasil) chamou-se "volta do Brasil", ou o "grão rodeio" que Camões descreveu em *Os Lusíadas*.

Verdadeiras avenidas de mão única foram traçadas pelos mares nos séculos XVI e XVII por esses barcos que dependiam de ventos e correntes. As embarcações que, a partir da latitude de Natal, no verão (ou de Salvador, no inverno), descessem a costa brasileira só retornariam a Portugal passando próximo à África e contornando o anticiclone do Atlântico Sul; e as naus que aportassem acima de Natal, já sob a influência da fortíssima corrente das Guianas, voltariam subindo pelo Caribe até se livrarem da imponência dos alísios de nordeste, chegando a Portugal pelo norte dos Açores, no curso da corrente do Golfo.

O triângulo dos escravos, entre Europa, África e América Central; a rota do tabaco, açúcar, rum e algodão; o caminho das especiarias e tantas ligações econômicas entre continentes estiveram sempre associados aos avanços na arte de navegar e seguiram na direção de invisíveis mas claros caminhos, até que barcos mais modernos pudessem, enfim, subir na contramão dos oceanos.

O mesmo pode-se dizer de navegadores em tempos mais remotos, como os vikings, que cinco séculos antes de Colombo alcançaram a América, indo pela Groenlândia e corrente do Labrador e voltando pela corrente do Golfo, a partir da Terra Nova. Ou, muito antes, os fenícios que, na expansão de suas rotas de comércio, em barcos delicados mas marinheiros, contornaram a África, pelo norte, até o golfo da Guiné, e, pelo sul, até a costa desértica ocidental. E, nesse caso, o único caminho para o retorno — a rota que eu perseguia naquele momento — seria a chave para explicar os seus discutidos vestígios em terras sul-americanas.

Se importante foi a pesquisa da rota que fazia, não menos delicada foi a decisão sobre o porto de partida. Definido o percurso até o Brasil, eu encontrava unicamente dois portos na África de onde poderia iniciar a viagem: Lüderitz e Walvis Bay.

O Atlântico Sul jamais havia sido cruzado em semelhantes condições, e não havia precedentes com os quais pudesse me orientar. Precisava confiar, a fundo, nos estudos que fizera e nos dados e informações de que dispunha. Sabia que uma decisão errada seria fatal.

Lüderitz foi, desde o princípio, o porto escolhido. Mas, a três meses da partida, por uma evidente comodidade burocrática, e cedendo por fim à insistência de pessoas que firmemente condenavam um lugar tão diminuto e isolado para minha partida, fugi ao plano original e concordei em partir de Walvis Bay.

O transporte do barco e equipamentos constituía uma operação complexa pela falta de conexões até a Namíbia, e a SAA (South African Airways), que tem voos regulares de carga para Walvis Bay, ofereceu-me o transporte do equipamento. Magnífica solução. Estava resolvido o meu problema. Tomaram-se as medidas do barco, da porta do avião, do compartimento de carga, e tudo estava perfeito. Indo de avião, ganharia tempo e compensaria o atraso acumulado na preparação da viagem.

Lüderitz, servida por meios de transporte muito aleatórios em razão de seu minúsculo tamanho e total isolamento no deserto, ficou definitivamente descartada em favor do porto sul-africano.

Surgiu, então, um problema técnico. Com tudo preparado para o embarque, constatou-se que o barco, ao receber reforços na borda, ganhara largura e, por uma diferença de um centímetro e meio, não entrava no compartimento de carga. Passava pela porta do avião, mas não fazia o contorno interno. Desespero, correria. Quase fiquei louco. Mais algumas semanas de atraso, e acabei seguindo de navio; e aí, estudando noites a fio mapas, cartas e documentos, voltei atrás e retomei o plano inicial: partir de Lüderitz.

No primeiro dia de julho, comemorando minha terceira semana no mar debaixo de uma nova tempestade, e analisando as posições feitas até então, constatei que aquele centímetro e meio salvou a minha pele. Pelo fato de sair numa época difícil e por ter sido tantas vezes sacudido por ventos desfavoráveis, jamais, se tivesse partido de outro lugar, estaria tão bem encaixado em relação à corrente de Benguela. Se não fosse aquele probleminha de um centímetro e meio, que me acordou para o plano traçado, tenho certeza de que, com barco e tudo, já faria parte da paisagem da Costa dos Esqueletos.

Engraçado imaginar que, depois de tanto estudar os caminhos daqueles navegadores, o marco deixado por um deles faria parte da minha viagem.

Bartolomeu Dias, o "capitão do fim", navegando sem víveres por uma costa que chamou de as "areias do Diabo", e obrigado, por uma tripulação amotinada, a retornar após a descoberta do "grande cabo", encontrou abrigo numa pequena enseada a que chamou de "Angra dos Ilhéus". E, numa península que a protege, em 1486, erigiu um padrão português — uma cruz de pedra que, restaurada, ali permanece, até hoje, e lhe conserva o nome: Dias Cross. Marca a entrada da baía que se chamaria, logo depois, angra Pequena e, muito tempo mais tarde, Lüderitz.

Era a cruz de Dias Point, o último marco da África que avistei ao partir. Impossível negar, este era o caminho.

7. SETE DIAS DE TEMPESTADE

O DOMINGO TERMINOU sem que pudesse tocar nos remos. Fiz uma tentativa de ir ao trabalho logo cedo, mas ondas desencontradas que vinham estourando de toda parte indicavam ser mais prudente passar o fim de semana em casa. Paciência. Poderia descansar um pouco e, quem sabe, começar a organizar a bagunça instalada nas sacolas e nos pequenos compartimentos do barco que ainda não tinham sido visitados.

Parecia difícil ter que permanecer o dia todo encerrado num espaço onde mal podia me sentar e onde a cada hora precisava abrir os respiros para permitir a entrada de ar; mas, estranhamente, eu me sentia bem ali.

Ainda que o mar parecesse uma pedreira em febril atividade, completamente cinza, com explosões sucessivas e britadeiras ensurdecedoras que não paravam, dessa vez o vento soprava firme, de su-sueste, e me jogava em direção favorável. Sabia que mesmo sem remar deveria avançar durante o mau tempo e, meio em dúvida, decidi pela primeira vez recolher a âncora de mar. Havia o risco de, sem ela, ser surpreendido por uma onda de lado e capotar, mas resolvi arriscar.

Balançando como um cabrito, o barco passou a deslizar com o temporal, sem se importar muito com as pancadas de ondas sobre o convés. Gostei da experiência, e durante a noite a âncora continuou guardada num compartimento externo, sob o carrinho de remar, que apelidei de "bodega 5", em homenagem ao porão principal do *Santiago del Estero*.

A imagem das capotagens estava gravada no meu pensamento, e o medo de uma nova era grande. Deitado, não parava de calcular: se em três dias eu capotara três vezes, agora, após vinte e dois dias no mar, eu estava com um saldo devedor de dezenove capotagens que, às vezes, me tirava o sono. Porém, a sensação de progredir, ainda que acompanhado de uma tempestade, era deliciosa e, mesmo preocupado, adormeci.

De madrugada, ao tocar o despertador avisando que era hora do café, levantei-me com disposição de sair de imediato para o trabalho. Mas o tempo piorara bastante, e o vento, zunindo na anteninha de VHF que desesperadamente tentava permanecer em pé, me fez lembrar de umas páginas de La Fontaine que li quando garoto: a fábula "O carvalho e o junco". O imponente carvalho, que jamais se curvava diante do vento, caçoava do frágil junco que, a cada lufada, deitava ao chão; até que, num dia de vento mais forte, o teimoso carvalho, não cedendo a uma força maior que a sua, tombou, arrancado do solo. E o junco, passado o vento, ergueu-se e continuou a crescer.

Não havia por que insistir em enfrentar a violência do mar. O barômetro, desde a véspera bastante baixo, continuava lentamente a descer e indicava que tão cedo as condições meteorológicas não melhorariam. Eu estava sendo ultrapassado por um centro de baixa pressão. Entendi que de nada adiantaria medir braços com algo maior que as minhas forças, e que, em vez de teimar com o tempo e correr o risco de quebrar o barco, deveria ser paciente e saber aguardar o momento certo de continuar em frente.

Negociando com o mau tempo, sem perder de vista meu objetivo, haveria de atravessar aquela situação. Assim, mais um dia deitado em meu compartimento de espera se anunciava. O que eu nunca poderia supor é que essa espera seria tão longa. Pois exatamente sete dias se passaram até que pudesse voltar a remar; sete dias em que fiquei trancado na cabine, sacudido por ondas enormes, flutuando em meio à espuma revolta do mar. Fechado. Sem poder sair. Simplesmente esperando. Ouvindo ondas que vinham arrebentando de longe sem saber se me alcançariam, ou sendo surpreendido por golpes de mar que à noite surgiam do nada. Situação de aspecto tenebroso, uma verdadeira tragédia!

Pois não foi. É engraçado, mas confesso que sinto saudades daquela semana. Pode parecer incrível, mas poucas vezes na minha vida fui tão feliz.

A angústia passou logo nos primeiros dias, e eu me convenci

de que nem as piores tempestades fariam virar o barco. Ondas alcançando sete, às vezes oito metros, curtas e difíceis, revelavam um mar nitidamente mais agitado do que no triste dia das capotagens. Mas, com o peso mais bem distribuído e fazendo uso dos tanques de lastro interno, o comportamento do barco foi exemplar, e em nenhum momento tive que soltar as âncoras de mar para estabilizar a deriva.

Com a bolina totalmente recolhida e os lastros abastecidos com água salgada, descobri que dificilmente me encontraria de novo deitado no teto, vendo os peixes pela escotilha, como se estivesse num aquário de ponta-cabeça.

Não passei naqueles sete dias por um momento sequer de monotonia, tristeza ou desespero. Pois nada é mais certo do que a chegada do bom tempo após uma tempestade que parece interminável.

Pior, muito pior do que as escandalosas tempestades, eram os momentos de tensão e expectativa provocados por traiçoeiras calmarias, quando as águas quietas e o vento morto traziam consigo a certeza de mudanças no tempo e de mar agitado pela frente.

Na terça-feira daquela semana, 3 de julho, fiz um perfeito QSO com o Brasil, e minhas dúvidas se confirmaram. Tão cedo o mar não melhoraria. O Donald, PY1 E MM da Escola Naval do Rio de Janeiro, me passou uma previsão do tempo nada otimista: ventos de sudoeste a noroeste, de trinta a 35 nós, e uma frente fria localizada a 23° de latitude Sul, 8° de longitude Leste, ou seja, logo abaixo de onde eu estava, avançando justamente em minha direção.

Era engraçado receber uma previsão meteorológica se nada poderia fazer para evitar um temporal; mas o simples fato de saber o que se passaria nas próximas horas era fantasticamente tranquilizador.

Aproveitei o tempo livre para pôr a casa em ordem e, ocupado o dia todo com pequenas tarefas, não sentia as horas voarem. Em primeiro lugar, separei as roupas que estavam numa grande sacola. O meu estoque de roupas secas estava quase no fim e foi necessário poupar as que ainda não tinham sal. Coloquei numa sacola separada as roupas ainda "doces" que usaria, a partir de então, unicamente para dormir ou permanecer dentro da cabine. As "salgadas", na medida do possível, seriam postas para secar, e, como o sal nunca permite uma secagem completa, só seriam usadas para trabalhar em dias molhados. Uma terceira sacola só conteria as roupas encharcadas, o macacão de mau tempo e o heroico casaco vermelho.

Tentei fabricar um travesseiro (único item, entre os meus equipamentos, que fora esquecido e talvez o que mais me fazia falta), mas sem muito sucesso, pois o balanço do barco era tão violento que o peso da cabeça, em poucos minutos, achatava o mais fofo protótipo de travesseiro. Montei uma papelaria com lápis, canetas e material de navegação numa caixinha de papelão, alojada no compartimento do rádio. Instalei o escritório com documentos, dinheiro que sobrara da África, alguns cruzeiros obsoletos e todos os livros e tábuas de navegação. A sala de energia ficou sendo um cantinho atrás das baterias, onde guardei as pilhas, lanterna, lâmpadas e todo o material elétrico de reposição. Providenciei um centro de processamento de dados composto unicamente por duas calculadoras eletrônicas, indispensáveis para o cálculo rápido de minhas posições. A farmácia, por falta de uso, seria transferida para o compartimento de mantimentos, na proa, assim que o tempo permitisse. As panelas de reserva e outros objetos sem muito uso, que não sofreriam com a umidade, foram alojados no lado de fora, na "bodega 5", que já estava cheia de água. Ali, bem no fundo, guardava uma âncora de ferro que fora usada antes da partida e que pretendia soltar na areia, um dia, ao tocar a costa brasileira. Junto estavam três arpões, 250 metros de cabos variados e mangueiras de reserva para os tanques. Não quis tirar a água que entrava pela junta da tampa de acesso, pois o seu peso, enquanto eu não voltasse a remar, ajudaria a estabilizar o barco.

Encontrei tempo para ler alguns trechos de *Cem anos de solidão*, de Gabriel García Márquez, presente da Anne Marie, ao deixar Lüderitz. E, entre as minhas fitas prediletas de clássicos e MPB, descobri uma engraçadíssima gravação de "*rock* pauleira" alemão que tomou conta do gravadorzinho, normalmente adepto de músicas mais tranquilas. Sem que percebesse, minhas preferências musicais iam aos poucos seguindo o ritmo do mar, agitadas e barulhentas como naquele momento, ou tristes e silenciosas quando atravessava, pensativo, inquietantes calmarias.

Certa manhã, ainda trancado e sem perspectiva de melhora do tempo, percorrendo as frequências do meu receptor, sintonizei uma rádio brasileira e não me contive de alegria. Era um programa da Rádio Globo, do Rio de Janeiro, apresentado por Paulo Giovanni e dirigido às donas de casa, num estilo que eu desconhecia totalmente. Horóscopo, receitas culinárias, "histórias da vida", conselhos sobre maridos que dormiam fora de casa. Nossa, como eu me diverti! Pela primeira vez eu ouvia notícias em português. Ofertas de supermercados na Baixada Fluminense, problemas de trânsito no centro do Rio; sentia-me terrivelmente ligado ao Brasil. Anotei a frequência na parede branca da cabine: 11805 kHz. E passei a acompanhar diariamente o engraçado programa. Pouco durava a minha emoção, pois antes das nove horas, de Brasília, a propagação começava a baixar e, então, eu desligava o rádio.

Sexto dia fechado, e ainda nada. Impressionante como o tempo passa rápido. Eu entrava no vigésimo sexto dia de viagem e agora o cardápio sofria uma pequena modificação. Comecei a caprichar mais na cozinha e percebi que podia preparar pratos novos, com requintados temperos. Comer passou a ser a atividade mais interessante a bordo.

Há muito tempo me interessava pelo problema de alimentação no mar e observei, ao estudar as viagens de outros navegadores, que pouca atenção se dá à parte de nutrição. Em todos os relatos que li sobre longas permanências no mar eram frequentes os distúrbios digestivos, a dificuldade de cicatrização de ferimentos, os furúnculos e problemas de pele, e a falta de resistência física.

Quando falei com D'Aboville, em Paris, sobre sua travessia do Atlântico Norte, ele me confessou que o mais grave problema que enfrentou, e que, em pleno oceano, quase o obrigou a desistir de continuar, não foram tempestades ou tubarões, mas uma simples e terrível constipação dos intestinos. Ouvindo os detalhes sobre a penosa operação de lavagem intestinal a que foi obrigado a se submeter, decidi que em hipótese alguma passaria pelo mesmo calvário. Por que não desenvolver um programa de alimentação corretamente balanceado e adaptado à vida no mar?

Conheci, por intermédio do Rob, meu fiel colaborador durante a fase de preparativos, uma nutricionista, Flora Lys Spolidoro, que não se assustou nem riu do plano que eu tinha em mente. Apaixonante e, acima de tudo, competente, a Flora. Convenceu a diretoria da firma onde trabalhava, a Nutrimental, do interesse científico da ideia e, coordenando um grupo de nutricionistas, desenvolveu e executou um projeto completo de alimentação simplesmente impecável.

Sete mulheres maravilhosas que, após oito meses de pesquisa e trabalho, me agarraram pelo estômago.

Minha alimentação, à base de desidratados, atendia a uma série de pré-requisitos como: conservação em condições extremas de temperatura e umidade, baixo volume e peso, balanceamento perfeito, facilidade de preparo, e, sobretudo, consistência, aspecto e sabor iguais aos da comida caseira. Estava acondicionada em embalagens individuais numeradas de 1 a 119 por ordem de consumo, de modo a não alterar o balanceamento, que continham uma média de 4 200 calorias por dia. Se, em determinado dia, eu não tivesse fome, descartaria o cardápio desse dia, para retomar, no dia seguinte, a numeração correspondente. O mesmo cardápio só se repetiria a cada duas semanas e, desse modo, seria praticamente impossível torná-lo monótono ou consumi-lo sem apetite.

Mas o grande segredo do projeto era que, por uma questão logística, eu só cozinharia com água do mar, poupando o meu reduzido estoque de água potável e economizando um peso desnecessário — a água para cozinhar. Para isso, todos os alimentos foram desidratados sem sal e combinados de modo a anular o excesso de salinidade no preparo. O sucesso foi total.

Os primeiros 25 cardápios eram de preparo mais rápido e continham um pouco mais de calorias que os 94 normais, pois a Flora calculou que o começo da viagem seria difícil. Havia ainda cardápios específicos para diarreia, para emergência (que dispensavam o fogareiro) e ainda de sobrevivência, esses de consistência concentrada e à base de liofilizados, totalizando 150 dias de alimentação.

Ao passar para o número 26, já nos cardápios normais, mais experiente no fogão, eu conseguia verdadeiras proezas culinárias, acompanhadas de exuberantes sobremesas que, tristemente, terminavam na dura obrigação de lavar panela e pratos.

Pois foi tentando lavar a minúscula panela de pressão, sem sair da cabine, que senti um violento raspão no fundo do barco. A pele áspera de um tubarão que se esfregava embaixo, fazendo um assustador barulho de lixa. As "visitas" estavam de volta e dessa vez me presentearam com uma hora de tensa companhia. As ondas batendo por cima, os tubarões lixando por baixo, consolei-me, pensando que pelo menos eles colaboravam com a limpeza do fundo. A parte submersa do casco estava pintada com uma tinta especial, antiincrustante, que evita a formação de cracas mas não impede o acúmulo de limo. Desde a partida, ainda não fizera nenhuma inspeção no fundo, e decidi que, com o tempo bom, e assim que as "visitas" parassem de "ajudar", deveria mergulhar e verificar como se comportava a tinta especial.

Não havia nada a fazer além de adaptar-me a essa vida provisória, aguardando que o tempo melhorasse. Depois de tantos dias deitado, estava descansado e morria de saudades dos remos, eles também por uma semana deitados e amarrados no convés.

Finalmente, no oitavo dia o céu clareou e o mar ameaçou acalmar-se. Era um domingo, comemorava a quarta semana no mar, e remei por sete horas apesar de as ondas ainda se mostrarem um pouco nervosas.

No dia seguinte, com o céu limpo e horizonte definido, após cuidadosamente limpar e regular o sextante, pude observar o sol na passagem meridiana. Com as observações astronômicas da tarde, cruzando uma segunda reta de altura em ângulo, teria enfim a posição. Perdera por completo o controle de direção do barco, e não sabia onde estava. Progredira em latitude, não havia dúvida, mas em que direção? Para o norte, rumo à África, ou para Santa Helena, como pretendia? Tudo era possível, depois de tanto tempo, e, graças ao sol, eu teria a resposta.

Entrei para a cabine com as alturas observadas anotadas no meu caderninho de navegação, e coloquei os dados na calculadora eletrônica. Estava nervoso, ansioso para saber o resultado. E, no momento de pressionar a última tecla, ao tocá-la levemente como quem chora uma carta de baralho num jogo decisivo, segurei o dedo na expectativa de ver a diferença entre a posição calculada e a estimada. Se fosse positiva essa diferença, eu teria progredido. Se fosse negativa, eu estava frito. Fui apertando a teclinha devagar e... viva! Saiu um resultado positivo, muito melhor do que podia esperar. Estava a mais de quatrocentas milhas da costa africana mais próxima! Eufórico e feliz, saltei para fora, e, desafiando o horizonte, dei um longo grito de alegria. "Estou conseguindo!", berrava. "Estou chegando lá! Santa Helena, prepare-se!"

Só os tubarões ouviram.

Faltavam mais de 3 mil milhas até o Brasil, mas agora tinha certeza de que estava a caminho. Nada mais me ligava à África. Ou quase.

Pendurado na alavanca interna da bomba de água, junto à minha cama, balançava um pedaço de carne de órix defumada, presente do Günther e que eu guardava para comer em alguma ocasião especial. Olhei para a carne e achei, não sei por que razão, que deveria devolvê-la ao mar. Joguei-a na água, como se fosse uma oferenda devolvida. E, a partir desse instante, o mar acalmou-se e o tempo melhorou. Superstições à parte, tenho certeza de que a carne de órix foi bem recebida.

8. UM SONHO QUE SE APAGA

ENCERRADO O EXPEDIENTE e amarrados os remos, tirava as roupas molhadas, me enxugava e, ainda pelado, entrava para vestir roupas secas. Hora do jantar. Os dias estavam curtos ainda, e, mal terminava de comer, acendia a velinha do Hermann. Depois, deitado de lado, apoiado sobre a caixa do rádio, a cabeça contra o teto e os ombros encaixados no canto, preenchia o diário. Era a parte mais gostosa do dia. Exausto depois de um bom trabalho, passava então horas seguidas nessa posição, namorando a carta náutica do Atlântico Sul, medindo distâncias, traçando objetivos e fazendo planos.

Até os últimos dias antes da tempestade dos sete dias eu ainda marcava minhas posições nas cartas sul-africanas da região costeira da Namíbia. Agora estava trabalhando diretamente sobre a carta geral do Atlântico Sul — e, se na prática isso não significava nada, na minha cabeça essa mudança de cartas representava um fenomenal progresso.

Com o auxílio da calculadora eu digitava as retas de altura e plotava sua intersecção diretamente sobre a grande carta. Maravilhado com a extensão branca do Atlântico representado num papel à minha frente, e orgulhoso com o zigue-zague que ia traçando dia a dia, ponto após ponto em direção ao meu objetivo, fechava os olhos e, sonhando acordado, imaginava o dia em que a cobrinha de pontos na carta alcançaria a dobra central (a carta era muito grande e estava dobrada ao meio), e seguiria do outro lado de ponto em ponto em direção aos contornos do Brasil.

Durante o dia, enquanto remava, notei a presença de uns peixes que há algum tempo me acompanhavam. Eram dourados e, prestando muita atenção, percebi serem os mesmos de alguns dias atrás.

Curiosa companhia. Pude mesmo identificar um, de coloração

menos intensa, que batizei de Alcebíades, em homenagem a um morcego que residia no sótão de casa, em Paraty, e que após muitas tentativas frustradas de expulsão resolvi adotar como amigo.

Parei de remar, e eles começaram a dar voltas em torno do barco. Por que me seguiriam?

O tempo bom e o mar tranquilo eram uma oportuna ocasião para se fazer uma inspeção no fundo. Com certeza o limo deveria estar atraindo os dourados e, após um mês, já era tempo de uma limpeza geral. Não me agradava muito a ideia de entrar na água, não só pela lembrança de tantas barbatanas suspeitas, mas também porque fazia frio. Aproveitando o intervalo do almoço, vesti pela primeira vez a roupa de borracha. Deliciosa sensação. O calor da roupa me trouxe coragem e, munido de máscara, pés de pato e escova, pulei na água amarrado a um cabo.

Por baixo da água, um impressionante cenário: cinco ou seis dourados, sempre a uma pequena mas prudente distância, e, junto do leme, um bando de minúsculos pilotos, fielmente acompanhando o barco. Senti-me tão importante quanto um velho tubarão, sempre cercado por seu séquito desses pequenos e listrados peixinhos. Que lindo e diferente universo isolado por uma superfície que eu só conhecia de um lado! Um outro mundo que coexistia com o meu, lá em cima. Um eterno e transparente silêncio onde as tempestades só se manifestavam decorando a superfície de um rendilhado branco de espuma. E nada além disso. Que impressionante visibilidade! Os raios solares penetrando até o infinito no mar e novos dourados que podia ver a grande distância!

O casco estava coberto de um limo que saiu sem muita dificuldade. Mas, mergulhando por baixo, percebi que em certos lugares os raspões provocados pelos tubarões haviam removido parte da tinta e ali começavam a formar-se pequenos crustáceos que a escova não conseguia remover. Era o início de grandes problemas com a tinta.

De modo geral, as tintas de fundo são feitas à base de cobre, e, por essa razão, apresentam cor vermelho-alaranjada.

Após estudar de modo atento perto de quarenta relatos de acidentes com veleiros, em que mais da metade foi provocada por colisão com baleias, e ao tomar conhecimento de um estudo sobre atração e repulsão de cetáceos em relação à cor, que não recomendava cores como o vermelho no fundo das embarcações, pois poderiam atrair esses enormes mamíferos, optei por uma tinta especial de cor verde.

Não depositava muita fé nesse estudo, mas sabia que o problema com baleias não existe porque sejam agressivas, mas porque, sendo excessivamente dóceis e curiosas, costumam aproximar-se de veleiros ou embarcações que, sem motor ou outra fonte de vibração, não as espantam. E o carinho de um animal que ultrapassa quarenta toneladas e mais de quinze metros às vezes pode ser trágico para um barquinho com menos de seis metros.

Ao tentar remover os crustáceos do fundo percebi que havia cometido uma asneira. Em vez de passar várias demãos como pensava, atendi ao desastrado conselho do estaleiro que fizera a pintura e aplicara somente uma. A tinta não tinha boa aderência ao casco e soltava-se com facilidade.

Dentro da água, lembrei-me da surra de perguntas que me faziam antes de partir, em especial de uma, feita por um amigo argentino, da Control, em São Paulo, onde foi feita a instalação elétrica e mecânica. Os funcionários da fábrica, na hora do almoço, em volta do barco, e ele me metralhando com sucessivas rajadas de perguntas:

"E se a água acabar?"

"Eu aciono o destilador solar", respondi.

"E se a bateria falhar?"

"Eu tenho os painéis solares e as baterias de emergência."

"E se o barco capotar?"

"Eu uso o sistema de lastros líquidos."

"E se uma baleia atacar?"

"Eu pinto o fundo de verde."

"E se for uma baleia daltônica?"

Perdi a paciência e saí correndo atrás do meu inquisidor.

Mas ele tinha toda razão. Se uma baleia se aproximasse durante a noite, de nada adiantariam os coloridos estudos sobre a atração de cetáceos no fundo escuro do mar.

Estava há uma hora e meia dentro da água e concluí que seria uma boa ideia encher o bote salva-vidas individual que estava no compartimento de mantimentos, na proa. Mas para colocá-lo na água e não perdê-lo precisava de um cabinho de amarração. Separei, de um rolo com sessenta metros de cabo de seis milímetros, um pedaço e joguei o restante na água pensando que a ponta estivesse presa. Com a cabeça mergulhada, fiquei olhando aquela linha branca indo para o fundo para ver até onde podia avistá-la. Que surpresa quando vi a outra ponta do cabo descendo também! Indo devagar para o fundo, aquela serpente branca me hipnotizou. Olhava fascinado, através de uma água fantasticamente cristalina, cinquenta metros de precioso cabo despedindo-se para sempre, em direção à fossa abissal do Atlântico, e constatei que estava a cinco quilômetros de distância do fundo.

Flutuando em tão grande profundidade, afastado do meu querido barquinho, pareceu impossível ter chegado até ali, naquela minúscula casquinha que balançava solitária, desabitada, em pleno oceano. Senti um profundo arrepio e subi imediatamente a bordo.

Voltei aos remos, pensativo e sem almoçar. E, por acaso, descobri que era muito mais confortável remar com a roupa de borracha do que vestindo calça, blusa e complicados casacos. A partir desse dia, a roupa azul de borracha seria o uniforme oficial de trabalho. Não mais me incomodaria com os imprevisíveis banhos provocados por ondas mais afoitas.

Um mês havia passado e eu me sentia há uma eternidade no mar. O dia da partida parecia algo tão distante no passado como a data do meu nascimento. Estava profundamente bem, como se a vida tivesse sido sempre assim, alternando, dia após dia, paisagens violentas com cenas de calma, minutos de preocupação com momentos de muita alegria.

Um exame na carta indicou que um quarto da rota estava cumprido. Nada mau para um começo tão difícil. Nesse ritmo completaria a viagem em 120 dias, o que não era muito além da previsão inicial de 109. Suprimentos e material havia para se alcançar esse objetivo. Sobretudo, havia uma crescente disposição. A cada semana que passava eu conseguia melhorar o rendimento e isso era muito animador. A média de avanço, que no início não ultrapassava 25 milhas por dia, alcançava agora 29 e, se conseguisse passar de 34, estaria abaixando o tempo previsto de travessia.

O balanço de provisões era bastante favorável: em um mês consumi 42 litros de água, de um total de 275 que levava em cinco tanques de borracha; apenas quatro latas de gás do estoque de 32, e 31 cardápios. Restando ainda suprimentos para quatro meses, não havia necessidade de nenhum racionamento.

O consumo de água no início era o que mais me preocupava. Eu previ uma média diária de 2,5 litros. Na realidade, estava bem abaixo disso, tendo consumido, até então, 1,4 litro por dia. Levava comigo três destiladores solares e um dessalinizador químico, mas sabia que agora não teria de usá-los e tampouco racionar a água doce. Bastava ter cuidado, dando baixa de cada litro que saísse dos tanques. E isso eu fazia anotando na parede, ao lado da bomba, sempre que enchia uma medida plástica de um litro, com tampa. Era dali que eu bebia ou retirava a água para o preparo de sucos, doces ou leite.

O pequeno fogareiro cor de laranja me surpreendeu também com sua eficiência. Gastando uma carga de gás por semana, eu ainda poderia cozinhar por seis meses, talvez até abrir um restaurante especializado em desidratados e frutos do mar! Parece incrível, mas eu preparava o arroz em um minuto e meio, e mais meio para gratiná-lo com queijo parmesão! O feijão pedia quatro minutos, o tutu à mineira seis, a polenta cinco. E um purê de batatas, apenas trinta segundos! As saladas diversas e os risotos tornaram-se minha especialidade. E eu gastava mais tempo temperando ou preparando para servir do que necessariamente cozinhando.

O vento contrário aumentou muito durante a tarde e não consegui mais avançar. Melhor soltar a grande âncora de mar, pensei.

Tirei a tarde para uma organização completa do barco. Engraxei as forquetas onde vão apoiados os remos, e os trilhos do carrinho. Instalei cabos novos nas birutas sobressalentes e fiz uma operação limpeza na "bodega 5". Tive de esgotar a água, enxugar, trocar as borrachas de vedação da tampa e arrumar tudo. Muitos objetos sem uso não resistiram à febre de ordem e foram parar no mar. O barco continuava pesado e era preciso aliviá-lo. Mesmo alguns livros que ainda não abrira foram sacrificados.

Testei os fumígenos de socorro e nenhum funcionou, embora estivessem secos e dentro do prazo de validade. Foram também para o fundo. O lança-paraquedas de emergência mostrou-se impecável, apenas exigindo cuidados para que não escorregasse das mãos. Limpando o espelho de sinalização, descobri que estava barbudo. Uma providência deveria ser tomada.

Com o barco em ordem e brilhando de limpeza, não havia sentido em continuar mal-encarado daquele jeito. Fiz barba e cabelo, tomei banho e, aproveitando o clima, vesti roupa nova. O dia cinzento e o vento contrário me empurrando para trás não eram motivos de alegria, no entanto o fato de estar bem vestido, de banho tomado, com uma aparência decente, trouxe grande animação a bordo.

Às 17:22'10" GMT, o limbo inferior do sol tocou o horizonte. Parece que quanto mais feio fosse o dia, mais lindo se fazia o pôr do sol. Sem tirar os olhos da última lasca de sol, que desaparecia entre pesadas nuvens e delicados raios de luz, decidi solenemente hastear a bandeira do Brasil na antena de VHF.

Brilhante ideia, que não só elevou o sentimento patriótico a bordo, como muito me ajudaria, ao remar, como indicador de vento para manter sempre o mesmo ângulo em relação às ondas e poder assim tirar os olhos da bússola. De madrugada, remando no escuro, bastaria manter a bandeira tremulando numa direção favorável, e não mais teria que largar os remos para a cada trinta minutos acionar a infalível lanterninha de magneto e checar na bússola a direção a seguir.

Doze de julho. Primeiras chuvas. Estranhamente não consegui me molhar. A manhã inteira, blocos isolados de chuva passavam com o vento, às vezes a poucos metros do barco. Podia ouvir o delicioso barulho da chuva caindo na água, até mesmo sentir alguns respingos, mas, me molhar, nada!

Havia pelo menos meia dúzia de pequenas chuvas ao meu redor. Instintivamente senti sede, a sede de quem vê água e não a alcança. Ridícula sensação. Eu ali, nu, pronto para um sonhado banho de água doce, com mangueiras e um sofisticado esquema para recolher e armazenar o abundante líquido que caía do céu e nem uma gota. Não estava tão interessado em água para beber e nem no banho em si. Já me habituara perfeitamente aos banhos de água salgada. Mas sentia uma falta tremenda de um sabonete comum e muita espuma. Ainda que usando sabonetes especiais, com água do mar estaria privado desse prazer.

Por entre nuvens que passavam baixo às vezes escapava o sol, e, ágil com o sextante, capturei algumas retas de altura; ao meio-dia, num lance de sorte, novamente saiu o sol e consegui, com a altura meridiana, a posição. Trágico resultado. Apesar de, com todo esforço, ter cumprido o meu trabalho, mesmo soltando durante a noite a grande âncora de mar, eu havia voltado para trás! Perdi tudo o que ganhei no dia anterior e mais cinco milhas em direção à África! Após o jantar, cinco sobremesas diferentes não foram suficientes para me consolar. Fui dormir morto de raiva.

Três dias se passaram sem que conseguisse calcular a posição. Mas tão decidido estava a não passar novamente pela vergonha de voltar para trás que dobrei o ritmo de trabalho, fazendo mesmo algumas horas extras não remuneradas. Nos intervalos, em vez de ligar o rádio para pescar algumas notícias, apanhava a caixinha de ferramentas e freneticamente procurava melhor regulagem para o barco. Aumentei o braço de alavanca dos remos, levantei a altura das forquetas, mudei o ângulo de inclinação das pás e... "graxa no carrinho e firme na pegada!", como dizia o nosso técnico de remo, o sr. Arlindo.

A almofadinha trabalhava incessantemente na sua nobre missão de amortecer meu sofrimento, e os calos nos dedos voltaram a se transformar em bolhas. Mas o esforço trouxe recompensas. Em 16 de julho quebrei meu recorde de rendimento: 42 milhas em 24 horas! E não só isso, consegui um excelente rumo de 280° verdadeiros, exatamente a direção de Santa Helena. Seria muito difícil avistar a ilha, pois os ventos predominantes de sul me forçariam a passar bem ao norte; para conseguir esses 280° eu havia remado por dias seguidos sempre com a proa em 250°/260°, muitas vezes de lado para as ondas e o vento, em posição desconfortável e me molhando a todo instante, mas não custava nada tentar. Seria maravilhoso avistar terra novamente.

Uma nova inspeção no casco, tateando com as mãos e sem entrar na água, foi reveladora. Os crustáceos continuavam crescendo nos lugares onde a tinta saíra, o que significava que em breve deveria criar coragem e mergulhar. Mas o tempo frio e uma suspeita barbatana me facilitaram a decisão. Ainda não!

Dezessete de julho. Dia de rádio. Comecei a remar mais cedo para terminar o dia antes do horário do QSO. O almoço foi encurtado em vinte minutos. Às 15:30 bati o cartão após quase dez horas de trabalho e às 16:00 GMT estava, pontualmente, na frequência combinada. Consegui o primeiro contato com o Gerd, que mandou lembranças do capitão Rees, da Helena e de todos os amigos de Lüderitz. Contei a ele, em inglês, o problema que mais me preocupava então, os crustáceos crescendo no fundo, e a necessidade de mergulhar para fazer uma limpeza.

Não sabia que na casa do Alex, em São Paulo, meu pai estava junto ao rádio, atento à frequência. Levei uma tremenda bronca em pleno Atlântico. "Nada de mergulhos!"

O Ayres me passou novas coordenadas das correntes e o comandante do *Felipe Camarão* precisas recomendações para alcançar logo o meridiano 0°. A previsão do tempo mais uma vez correspondia à realidade: ventos de sudeste, de trinta nós, mar agitado, tempo encoberto. Ao desligar o rádio, tinha a sensação de um sonho que se apaga.

9. COMPANHEIROS ILUSTRES

UM SONHO ME PERSEGUIA HÁ DIAS. Invariavelmente estava em Paraty, e entre amigos e pessoas que não via há muito tempo, pulava de alegria ao contar exultante que havia, enfim, partido, que a África já estava longe, que suas costas perigosas não me assustavam mais, e que tudo ia bem no meio do Atlântico. E, então, alguém me perguntava: "Mas você aqui? E o barco? Como pôde deixá-lo só, à deriva? Como conseguirá retornar a ele?".

O sonho se transformava em cruel pesadelo, e ao disparo do primeiro alarme do despertador, com a respiração ofegante e o coração acelerado, dava graças a Deus de acordar e ainda estar a bordo, de nunca ter abandonado o barco. Zonzo e feliz, deitava por mais dez minutos de sonhos, até que o histérico alarme me arrancasse por fim da cama. Num cotidiano ritual, acendia a velinha do Hermann, saía do saco de dormir e, após trocar as roupas secas pelo traje de borracha e sintonizar o rádio no programa de notícias da Radio France Internationale (RFI), o único que captava naquele horário, me dirigia ao acrobático mas confortável "banheiro", do lado de fora. Operação rápida e eficiente.

Enquanto me preparava para entrar novamente e devorar um reforçado café, debaixo de um céu nem sempre estrelado e atento a ondas escuras que poderiam, a qualquer instante, me presentear com um banho, prendia o olhar na luz trêmula que fugia pela janelinha da cabine e os ouvidos no estranho ruído do rádio. E ria. Ria muito dos sonhos engraçados, do frequente pesadelo, da falta que me fazia um jornal para ler no "banheiro". Ria da absurda diferença entre dois mundos tão distantes que se conciliavam de modo tão incomum. O aconchegante interior da "lâmpada flutuante", com música, luz e notícias do mundo, e o imenso e infinito mar por onde flutuava.

Vinte de julho. Ao checar na bússola a direção do vento percebi que poderia remar em excelente ângulo com as ondas sem a constante preocupação de derivar para o norte. O mar agitado e as ondas altas continuavam, mas a rota que vinha seguindo compensava qualquer coisa. E não me fazia desejar nenhuma mudança no tempo.

Prevendo uma nova depressão meteorológica, retirei da proa sete cardápios que ficariam na cabine para não ser necessário abrir o compartimento de mantimentos com mau tempo, arriscando uma perigosa entrada de umidade na despensa.

Após um espetacular show de malabarismo, em pé, equilibrando-me com o sextante na mão e perseguindo com os olhos o sol que se escondia atrás de nuvens grossas, consegui calcular a posição:

"Momento histórico!", berrei.

Acabava de cruzar o meridiano de Greenwich, e passava para o hemisfério ocidental. Muitas mudanças se fariam a bordo. Em primeiro lugar, passava da "Z.M. Trades" para a "Z.M. Santa Helena", o que me fazia sentir ainda mais próximo da querida ilha. Em segundo lugar, deveria tomar muito cuidado nos cálculos de navegação, pois a longitude estimada agora passaria a ser subtraída em vez de somada ao ângulo horário local do sol. E, ainda por cima, comemorava quarenta dias de mar.

Nossa mãe! Quarenta dias sem ver um rosto humano e nem me dei conta disso! Não trazia nem mesmo uma foto de amigos, de algum lugar conhecido ou de alguma das tantas viagens que fiz pelos confins do Brasil. Da serra da Bocaina aos pampas gaúchos, de moto; pelos cerrados de Goiás e Mato Grosso, de caminhão, ou subindo o rio Madeira e o Amazonas em gaiolas. Lugares tão distantes do mar que me vinham à memória. Tanta gente que conheci, vivendo em barrancas e campos, onde jamais chegará um automóvel. Um automóvel! Sim, como seria o ruído de um congestionamento? O cantar de um carro de boi? O cheiro de um curral? O berreiro do pregão da bolsa de valores? O vento assobiando no coqueiral? Um Fla-Flu no Maracanã?

Há tanto tempo não tinha contato com nada disso. E não sabia tampouco quando voltaria a ter. Ali, de onde eu estava, tudo se tornava muito divertido. Um engarrafamento no Anhangabaú me parecia tão emocionante quanto percorrer a Transamazônica! Mas estranhamente não sentia falta de nada.

Aos poucos percebi que entrava em equilíbrio com o mundo à minha volta. Um cenário eterno e dinâmico a um só tempo, exatamente o mesmo que viram os navegadores do passado. Talvez com igual intensidade de emoção, medo ou alegria. E a noção de tempo tão exata a ponto de conhecer os décimos de segundo de cada hora, ou tão vaga no espaço que séculos nada significariam em transformações.

Não me encontrava em uma situação indefinida ou permanente, e talvez por isso me sentisse bem. Tinha um objetivo na mente, e um só: chegar ao Brasil. E, ainda que fosse distante ou extremamente difícil, sabia que poderia alcançá-lo.

Situação privilegiada, pensei. Durante tanto tempo antes de partir, tudo em que sonhei, tudo em que pensei foi estar remando no meio do Atlântico. E era, naquele momento, precisamente o que estava fazendo. Não podia reclamar. Estava realizando um velho e encardido sonho. Só restava ter paciência. Por outro lado, tinha consciência de que vivia momentos importantes, pois poucas vezes na vida tem-se um único objetivo e a firme certeza de que, a cada dia que passa, a cada hora, a cada remada, se está mais próximo dele.

Essa certeza me fazia esquecer das agruras de um confinado cotidiano, flutuando entre tanta força e espaço. Ou, pelo menos, tentar esquecer.

Quinze minutos para o fim do expediente. As últimas horas de trabalho eram intermináveis; os últimos minutos, insuportáveis. Com os calos inchados e o corpo doendo após mais de nove horas remando, estava surpreso por ainda não ter tomado um banho gelado com tantas ondas mal-intencionadas ao redor.

Cinco minutos, o mar batendo. Incrivelmente ainda seco, pensei mesmo em roubar os últimos minutos e guardar os remos só um pouquinho antes da hora, quando veio o castigo. Olhando sem parar o relógio, preparando-me para bater o "cartão de ponto" e, enfim, deliciosamente descansar, descontrolei o rumo entre duas ondas grandes e uma terceira me pegou de lado. Um banho de afogar peixes! Escapou um palavrão tão terrível que surpreendeu meus próprios ouvidos. Mas a onda, ofendida, retrucou e levei outro banho. Furioso, tive vontade de sair correndo atrás da maldita a dar-lhe pauladas com o remo! Em pleno sábado à tarde, briga no mar! Não. Melhor manter a dignidade e fazer as pazes.

E, assim, entre discussões e mal-entendidos com as ondas, passei a conviver suportavelmente com os seus humores. Senti que não deveriam ser xingadas quando me enfurecia, pois sempre respondiam à altura.

Desse forçado relacionamento surgiu, no meu diário, uma não muito ortodoxa classificação para ondas, mais em função dos problemas que me criavam do que propriamente do seu tamanho ou formato. As "madames" eram ondas imensas, de crista e colares formados por espuma branca, mas que, com toda a pompa, não faziam mal nenhum. As "fresquinhas" não eram grandes, mas passavam chamando a atenção e se sobressaíam bem. As "cuspideiras" eram ondas sempre pequenas porém mal-intencionadas. As mais irritantes, pois me molhavam a todo instante e não deixavam as roupas secar no varal instalado na antena. As "comadres" pareciam amigas, mas nem sempre eram de confiança. De vez em quando, acertavam o barco por trás. E havia ainda as "perdidas", que chegavam sempre com mar agitado, atacando por todos os lados, tornando difícil o controle do leme. Mas as piores de todas, imensas e traiçoeiras, eram as "madrastas", que podiam alcançar nove metros e me deixavam desprotegido e vulnerável. Foi numa reunião de "madrastas" que eu capotei no início da viagem.

Às 15:55, com a antena já instalada, e após me enxugar cuidadosamente para não permitir a entrada de sal ou umidade na caixa do rádio, liguei o transmissor.

Os contatos, que no início eram diários, passaram a ser feitos três vezes por semana, às terças, quintas e sábados; e, a partir desse dia, eu proporia apenas dois contatos por semana: um às terças e outro aos sábados, sempre às 16:00 GMT, uma da tarde no Brasil.

Os dias de rádio eram de grande expectativa. Estava sempre ansioso por notícias de todos, mas, ao final de longos comunicados, não parava mais de responder a perguntas aflitas e terminava, assim, sem novidades de ninguém. Na verdade, não havia tanta coisa para contar todos os dias, e foi por essa razão que resolvi diminuir o número de comunicados. Isso ajudaria também a fazer as semanas andarem mais depressa, enquanto aguardava o esperado dia de armar as antenas.

Eufórico, transmiti minha primeira posição a oeste do meridiano de Greenwich, e senti, pela voz do Ayres, que havia a bordo do *Felipe Camarão* um sentimento de alívio. Eu não sabia, então, mas a tripulação do navio, preocupada com as duras condições de mar na corrente de Benguela, estabeleceu a passagem por aquele meridiano como uma vitória sobre a etapa mais difícil de toda a viagem. Eu não apenas havia cruzado uma linha imaginária que divide os hemisférios em leste e oeste, mas acabava de entrar numa região em que as condições de tempo e mar só tendiam a melhorar. Mil milhas me separavam do ponto de partida — nem um terço da viagem ainda, mas o pior estava para trás.

A maioria dos radioamadores que me ouviam pouco entendiam de navegação e não perceberam a importância dessa posição, ainda tão distante do Brasil. Porém, o discreto reconhecimento do Ayres, deixando escapar, nas entrelinhas de sua mensagem, a alegria que sentia, quase me matou do coração.

Foi um longo comunicado. Consegui falar com minha mãe, através do Álvaro, e penso que pude poupar-lhe alguns cabelos brancos. Ela estava emocionada, e suas palavras não saíam. Quase terminando, encontrei a voz do Peter, na Ilha Grande, o Peter da Macaca, que mora eremita há mais de vinte anos na ilha, não distante do presídio, em um pedacinho do paraíso escondido entre os coqueiros e as mirabolantes antenas do seu rádio. Sua companheira de tantos anos, uma inteligente macaca de nome Cláudia, morreu há algum tempo, e foi com alegria que soube que encontrara uma nova companheira, a Xuxa.

Ao fazer o jantar, coloquei a velha fita de *rock* no gravador (o mar pedia) e, revolvendo o cardápio do dia, encontrei uma pequena lata de azeite que não pretendia usar. Lancei-a ao mar com um pequeno furo, para testar uma antiquíssima técnica de acalmar as ondas e de cuja eficiência muito duvidava. Impressionante efeito! Uma finíssima película de óleo formou-se ao redor do barco, e as "madames", que se aproximavam arrebentando ou levantando espuma, por aí passavam completamente lisas.

Mais impressionante do que a eficiência do método foi a quantidade de óleo necessária. Uma colher de sobremesa formava extensa mancha de mar liso ao redor, que durava quase trinta minutos. É claro que as ondas não baixavam, mas a ausência de espuma e arrebentação, e, ademais, a visibilidade a grande distância da película em meio ao mar agitado seriam vitais em caso de localização e recuperação de náufragos ou de homem-ao-mar. Uma ideia interessante para os equipamentos de salvatagem, principalmente se o óleo puder ser associado a um corante e a um repelente de tubarões.

Às onze da noite, dormindo um sono profundo, ouvi um barulho de respiração muito próximo. Sonho? Não! Baleias, talvez? Dez minutos mais tarde fui abalroado por um animal enorme. O barco inteiro balançou. Morto de sono, não sabia o que fazer. Tubarão não era, pois não houve o característico ruído de lixa. Abri a portinhola e saí.

Noite escura, sem céu nem estrelas. Uma noite de ardentia. Estava tremendo. O que seria desta vez? A resposta veio do fundo. Uma enorme baleia, com o corpo todo iluminado, passava exatamente sob o barco, quase tocando-lhe o fundo. Podia ver sua descomunal cauda, de envergadura talvez igual ao comprimento do meu barco, passando por baixo, de um lado, enquanto, do outro, seguiam o corpo e a cabeça. Com o seu movimento verde fosforescente iluminando a noite, nem me tocou, e iluminada seguiu em frente. Com as mãos agarradas na borda, estava completamente paralisado por tão impressionante espetáculo — belo e assustador ao mesmo tempo. Acompanhava com os olhos e a respiração o seu caminho sob a superfície. Manobrou e voltou-se de novo, e, mesmo maravilhado com o que via, não tive a menor dúvida: voei para dentro, fechei a porta e todos os respiros, e fiquei aguardando, deitado, com as mãos no teto, pronto para o golpe. Suavemente tocou o leme e passou a empurrar o barco, que ficou atravessado à sua frente. Eu procurava imaginar o que ela queria.

Indescritível sensação, servir de brinquedo para um mamífero com pelo menos vinte vezes o peso do meu mundinho. Sentia em cada nervo a sua força. Ouvia o barulho das bolhas passando pelo costado. Difícil acreditar que um dia eu passaria por isso.

Eu não tinha quilha, mas sim uma bolina retrátil cuja única função era manter a direção do barco e equilibrar o esforço nos remos quando estivesse remando com os ventos laterais; e o leme, única peça que sobressaía no fundo, foi desenhado com formas arredondadas e sem cantos pontiagudos, não só para aumentar a sua resistência, em caso de impacto, mas também para não provocar ferimentos e uma consequente reação violenta de algum cetáceo mais íntimo. Confesso que muitas vezes julguei absurdas essas considerações, mas agora dava graças a Deus por ter pensado em tantos detalhes quando o barco ainda não passava de alguns rabiscos numa folha de papel.

Enquanto dentro tudo se inclinava com o desproporcional "carinho" da amiga lá fora, não tirava da cabeça a imagem de seu corpo iluminado de ardentia. Foi um encontro de meia hora; e, quando ela me deixou, estava tão tenso que, sem perceber, adormeci com as mãos ainda segurando o teto.

Meia-noite. Outro golpe no leme. Barulho de lixa. Mais um golpe. Impossível! O medo cedeu lugar à raiva. Não era preciso sair para constatar que agora se tratava de tubarões. Decididamente, não era uma noite para se dormir em paz. Resmungando em voz baixa, pensei mesmo em, munido de arpão, tomar uma atitude drástica contra esse abuso de intimidade. Mas no escuro... Novamente a vítima foi o leme. O que haveria de tão interessante no pobre leme? Logo se foram os tubarões e, com eles, o meu sono. Com a cabeça apoiada no protótipo de travesseiro (que, assim como a cama, estava abaixo da linha de flutuação), passei a noite pensando nos míseros dez milímetros de madeira que me separavam dos dentes de tão ásperos visitantes.

No dia seguinte fui ao trabalho com o rosto amassado de uma noite maldormida. Tinha a sensação de estar arrastando um petroleiro — os remos pesavam toneladas. Desanimador domingo sem sol. Não pude nem mesmo calcular a posição. O céu estava totalmente encoberto. O vento diminuíra, mas as ondas continuavam desencontradas. Quase esqueci que completava a sexta semana no mar.

Depois do almoço, sem a menor vontade de lavar a panela, passei por duas tábuas flutuando, presas em forma de T. Que súbita alegria! Tábuas serradas pelas mãos de seres humanos! Vestígios de civilização! Deveriam há muito vagar no mar, pois estavam cobertas de algas e moluscos. Alguns dos dourados que me acompanhavam se detiveram a investigar a estranha formação, mas logo retornaram.

Pensando nas tábuas com seus moluscos, enquanto remava, lembrei-me da tinta verde do fundo e não resisti à tentação de investigar a situação do casco, abaixo da linha-d'água. Munido de máscara e escova, mas sem muita coragem de entrar na água depois de uma noite tão tumultuada por visitas, pendurado na borda, mergulhei só a cabeça.

Mais surpreendente que a quantidade de dourados que me cercavam foi constatar, de cabeça para baixo, a abundante floresta de crustáceos em que se transformara o meu outrora hidrodinâmico casco. O leme estava um escândalo. Parecia uma vassoura assustada. Os crustáceos, ou "lepas", eram os mesmos que estavam nas tábuas perdidas e cresciam vorazmente, mas só nos locais de onde a tinta havia sido removida. Serviço dos diletos visitantes lixadores. Formavam pequenos tufos que freavam de modo terrível o avanço do barco e isso explicava por que, ultimamente, os remos andavam tão pesados.

A escova, apropriada para remover o limo, nada podia contra os crustáceos, e, sem outra alternativa, voltei ao trabalho e me pus a pensar. O problema era sério. Com o casco naquele estado, não só a viagem atrasaria demais, como minha resistência psicológica estaria também seriamente comprometida. Não tinha a menor disposição de dobrar o esforço nos remos ou aumentar o expediente de trabalho para dar carona a uma ociosa colônia submarina grudada no casco. Uma espátula constituiria uma solução imediata, mas precária, pois ao mesmo tempo removeria a tinta e faria o problema aumentar cada vez mais.

Mas o pior dessa situação estava pela frente. Nos dias que se seguiram, os tubarões, que até então se esfregavam no costado e no fundo de modo mais ou menos educado, começaram a dar golpes secos cada vez mais fortes, sempre em sessões de no máximo quinze minutos e, sobretudo, à noite. Só então entendi o que se passava: o que os atraía, na verdade, não era o barco, mas os benditos crustáceos que se formavam no fundo. Com os golpes, eles soltavam os pequenos tufos que, ficando para trás, livres na água, eram avidamente disputados por dourados e outros pequenos peixes que não conseguiam, pelos próprios meios, arrancá-los. Os tubarões investiam, então, contra os pobres coitados. Surpreendente e refinado método de caçar, para animais conhecidos pela falta de astúcia e diminuto cérebro.

Na terça-feira, decidi tomar uma providência, pois, além do peso do barco para remar, não suportava mais a ideia de me transformar em acessório de pesca dos tubarões, por maior admiração que tivesse por eles.

O mar acalmou-se, e a posição do meio-dia me colocava a 176 milhas de Santa Helena. Quem diria. Apesar de tudo, fazia consideráveis progressos. O ânimo subiu a bordo. O mar estava perfeito para mais um mergulho. Só faltava decidir. Enquanto preparava o fogareiro para o almoço, captei no radinho, entre chiados e ruídos, uma astróloga engraçada, Zora Yonara, falando às pessoas do signo de balança. "O meu!", gritei. E, tentando sintonizar melhor, com o ouvido grudado no aparelho, só consegui ouvir: "... você não deverá adiar decisões importantes!". Foi o empurrão que faltava para eu entrar na água. Eu nunca liguei para horóscopos ou previsões astrológicas, mas, a partir desse dia, toda vez que me via obrigado a realizar operações de limpeza no fundo, não vestia a máscara sem antes consultar dona Zora.

Estava há mais de uma hora nadando em volta do barco, uma mão na borda e a outra na escova, lutando para remover os persistentes "lepas".

Na verdade, mergulhar era a tarefa que mais me perturbava. Preferia dez dias da pior tempestade a ter que ficar escovando o fundo. Tinha medo. Tubarões têm uma exemplar capacidade de detectar vibrações de baixa frequência, e era exatamente o que eu fazia, de modo lento, passando a escova num vaivém regular e ruidoso. E mais terrível ainda era o fato de estar mergulhado com o nariz a poucos centímetros das marcas deixadas por esses ásperos animais, sabendo que um deles poderia estar a apenas alguns metros, passando oculto sob a superfície de uma onda maior, ou escondido do outro lado do barco, sem que pudesse vê-lo. Havia dourados, muitos, que sem o menor temor ficavam a meu lado, dando voltas. E às vezes levava um susto quando, ao virar para trás, topava com um deles a menos de um palmo de distância.

O trabalho estava quase terminado quando, sem que percebesse, sumiram todos os dourados. Olhei ao redor, mergulhei por baixo do casco: nem sinal deles! Tive um mau pressentimento e, embora não houvesse risco aparente ou presença de visitas, achei por bem sair do mar. Sentei na borda, com os pés na água ainda, tirei a máscara, o respirador, soltei a cordinha que me ligava ao barco, e ao levantar a cabeça e olhar para o horizonte... uma barbatana! "Meu Deus, uma barbatana de verdade!", disse em voz baixa. Ela não se aproximou e, tão discreta como apareceu, foi-se embora. Dei um pulo de alegria, não porque tivesse escapado a tempo de um encontro desagradável, mas porque acabava de fazer a maior de todas as descobertas. Os dourados não eram apenas companheiros de viagem mas importantes amigos que, com sua ausência, anunciavam a proximidade de predadores maiores. Eu lhes seria eternamente grato muitas vezes ainda, quando, em sua companhia, passaria horas seguidas na água sem a menor preocupação.

A cada dia novos dourados se juntavam aos velhos, alguns dos quais conseguia reconhecer. O Alcebíades fazia novas amizades. Menos assustados e mais experientes, os já conhecidos mantinham-se sempre próximos mas a uma atenta distância do barco, enquanto os recém-chegados se aproximavam bastante quando, por exemplo, eu lavava a panela, mas, não se interessando pelo cardápio, espantavam-se com facilidade sem contudo abandonar a comitiva da qual eu era o condutor. Impressionante união de fidelidade e respeito. Se me levantasse no barco, todos se assustavam; mas, se entrasse na água, permaneciam a centímetros apenas. Acompanhavam o meu caminho, alguns quase tocando as pás dos remos, sem medo de que eu eventualmente os acertasse, pois conheciam exatamente o ritmo e o tamanho das remadas. No fim do dia, ao parar de remar, eles se desorientavam um pouco e começavam a dar voltas em torno do barco. Assim ficavam a noite toda. Pela manhã, quando eu abria a portinhola para sair e começar o trabalho, saltavam fora da água em fantástica exibição, como se quisessem demonstrar sua alegria em voltar a caminhar. Durante horas de remo, às vezes monótonas e cansativas, eu me distraía acompanhando suas espetaculares perseguições aos peixes-voadores. E assim os dias voavam. Fazíamos mútua e silenciosa companhia.

10. UM DIA VOLTAR

O NÚMERO CADA VEZ MAIOR de peixes-voadores e a temperatura da água subindo eram claros sinais de que aos poucos me incorporava à corrente equatorial sul-atlântica. Na sétima semana o vento diminuiu bastante e o mar se acalmou. A limpeza do fundo produziu excelentes resultados. A "lâmpada" parecia mais leve e o rendimento médio semanal subiu para 35 milhas por dia. Tudo indicava que, se conseguisse insistir no rumo que vinha mantendo, invadir o raio de visibilidade da ilha não seria um sonho tão impossível.

Nos dias de vento mais fraco remava em direção ao sul, quase contra o vento, para, compensando o efeito da corrente, manter um rumo favorável. As ondas não mais passavam de sessenta centímetros de altura, e, embora o *swell* ainda fosse impressionante, a distância entre uma e outra era tão grande que seu efeito era pouco perceptível.

A "lâmpada" deslizava perfeita, em silêncio, no rumo oeste, queimando milhas para trás, acendendo o caminho pela frente. O sol nascendo à popa, exatamente à minha frente, e se pondo à proa, a cada dia surgia e se despedia com uma nova cor, de um modo diferente. O céu claro e o horizonte calmo permitiam posições astronômicas cada vez mais precisas. A distância até a ilha diminuía a cada página no meu caderninho preto de navegação.

Jamais me passou pela cabeça a ideia de aí aportar. Possessão inglesa com 5173 habitantes (1975), cuja única ligação com o mundo é feita por via marítima, pois aeroporto não existe, Santa Helena, no Atlântico, é a ilha mais solitária depois das geladas ilhas de Tristão da Cunha, ao sul. Foi sítio do exílio de Napoleão, de outubro de 1815 a maio de 1821, quando aí morreu. De formação vulcânica, com 10,5 por 16 quilômetros de extensão, é totalmente cercada de penhascos abruptos que despencam sobre o mar, não havendo, em ponto algum, porto, praia ou enseada abrigados. O desembarque só pode ser feito do lado noroeste, em James Bay, mas ainda assim de modo precário e sujeito aos caprichos do mar. Observa-se nesta parte do Atlântico um singular fenômeno que já fez naufragar muitas embarcações que se arriscaram a permanecer fundeadas próximo à ilha: são as *rollers*, ondas descomunais que surgem próximo à costa em arrebentação formada, vindas sobretudo de nordeste, ou seja, atingindo exatamente a única parte da ilha onde é possível o desembarque. Sua origem não é bem explicada, podendo mesmo surgir com mar tranquilo e vento fraco. O período de maior ocorrência de *rollers* vai de dezembro a março. Por outro lado, há anomalias magnéticas nas proximidades da ilha, causando desvios na bússola de até 7% acima da variação assinalada nas cartas náuticas.

Não. Santa Helena não era o meu objetivo nem o meu porto. O medo de quem navega não é o mar, mas a terra. Depois do que passei e vi nas costas da Namíbia, tinha bons motivos para acreditar nisso. Havia por ali um bom pedaço de terra perigosa que subia à tona, ameaçando a segurança de quem navega livre, por mar aberto. Um mar meio ruidoso e desesperado, é certo, mas que eu já conhecia um pouco e com o qual sabia me entender.

Porém, se para quem nunca o penetrou o mar causa enorme fascínio, para o navegador que vem do largo, a terra, ainda que perigosa, exerce uma mágica atração.

Avistar Santa Helena, mesmo a grande distância, seria maravilhoso. Deus sabe o quanto eu temia suas encostas violentas, mas conseguir reconhecer no horizonte os seus contornos, mais que constatar o enorme trajeto cumprido, significaria averiguar com os olhos, concretamente, a precisão dos meus cálculos de navegação.

Após tanto tempo no mar — só, cansado, balançando o tempo todo e fazendo cálculos às vezes complicados sem ter alguém que me apontasse os erros — seria bem possível que estivesse cometendo repetidamente algum pequeno erro ou vício de cálculo, ou que a calculadora estivesse meio tonta, ou ainda que utilizasse as tábuas de navegação trocando linhas e colunas e, em decorrência disso, na realidade, não me encontrasse onde pensava estar.

Remoendo na cabeça essas dúvidas, determinei naqueles dias um rigoroso inquérito administrativo contra todos os instrumentos de navegação e métodos de cálculo a bordo. O sextante principal foi revisado, e seu substituto, um pobre instrumento de plástico, reabilitado e comparado. Os cronômetros foram novamente aferidos pelo rádio, a calculadora astronômica ganhou pilhas novas e o comandante do barco passou por uma bateria de testes de trigonometria esférica e navegação astronômica, sem auxílio de maquininhas de calcular. Adquiri a clara convicção de que ainda estava no pleno gozo das minhas faculdades mentais e de que a carteirinha de capitão-amador continuava válida. Mas a dúvida persistia, e só havia no mundo uma coisa que poderia resolver o problema pela raiz, a olho nu: Santa Helena.

Os intervalos para descanso diminuíram e o ritmo de trabalho aumentou. O mar, pela primeira vez dócil por tantos dias seguidos, parecia me convidar para um desvio da rota ideal, que já ia ficando ao norte. Com sol forte, também pela primeira vez, remei sem as meias de lã. Dos tênis eu nunca me livraria, pois sem eles era simplesmente impossível me movimentar no barco sem escorregar. Mas logo me arrependeria; a marca branca e pálida nas canelas, cuja pele ainda não vira o sol, quase se transformou em grave queimadura.

Na quinta-feira comemorei a excelente posição do meio-dia e a ausência do balanço das ondas com uma estupenda feijoada. Completa, com farofa, legumes, pimenta vermelha e até mesmo laranja. Não dispensaria, num momento tão importante, uma tradicional caipirinha de limão. E, misturando *cane* (uma aguardente de cana da Namíbia), limão desidratado e mel, cheguei à fórmula perfeita. Mas, estranhamente, não consegui tomar um único gole. O dia tão espetacularmente limpo após semanas de tempo encoberto e a sensação fantástica de estar no meio do Atlântico, tão distante da terra e tão próximo de tudo, me embriagavam os sentidos. Uma gota de álcool estragaria tudo.

Em Lüderitz, como em quase todos os lugares ilhados no mundo, bebe-se muito e, por sugestão do Crispin Clay, neto do fundador do escotismo, Baden-Powell, e por acaso o maior distribuidor de bebidas daquela região, parti com cinco garrafas de bebidas de forte graduação alcoólica. Nunca para combater o frio, pois no frio nada é mais perigoso do que o álcool que, ao provocar a vasodilatação sanguínea, aumenta o desperdício de calor do corpo. "Mas, para relaxar os nervos, em caso de pânico!", me sugeriram os amigos de Lüderitz. É engraçado, mas nunca mais tocaria nas garrafas que até o fim permaneceram esquecidas na "bodega 5".

Uma gaivota delicada surgiu ao largo e se aproximou. Diferente de todas as que vi até então, era particularmente linda. Branca, de longa e elegante cauda, batia as asas sem parar e voava com certa dificuldade, não aparentando ser uma gaivota de "longo curso". Era, provavelmente, a *Procellaria nivosa* de Santa Helena. Ao partir, chamou-me a atenção para um fato curioso. Se algum náufrago ou viajante marítimo, ao avistar aves marinhas, julgar que está próximo de terra, sofrerá uma quilométrica decepção. Em toda a viagem, desde a partida, não passei nem um único dia sequer sem a companhia dessas simpáticas e às vezes pequenas criaturas.

No último contato que fiz com o Brasil, o Ayres e o comandante Wangler, estudando minhas posições, insistiram para que eu retomasse a rota inicial e subisse até a corrente Delta, cujas coordenadas eu recebera dias antes. Suas preocupações tinham fundamento. A partir da ilha inglesa, o fluxo inferior da corrente equatorial sul-atlântica deflete para o sul até o centro de alta pressão, no meio do Atlântico, numa espécie de redemoinho gigante que caminha, então, de novo em direção à África. Se eu entrasse aí estaria perdido. Eu sabia disso, mas não desisti do meu plano. Pois, mesmo que a corrente deixasse de ser favorável por um tempo, a direção do vento e umas horas a mais por dia nos remos me permitiriam retomar o caminho ideal.

Sábado, 28 de julho. O mais lindo de todos os dias. Tempo claro de sol, sem sinal de nuvens. Abertura dos Jogos Olímpicos de Los Angeles. Eu buscava, agora, a minha medalha. Uma santa medalha no horizonte! O sextante não descansou até que obtivesse a mais perfeita posição: 15°30' de latitude sul, 5°10' de longitude oeste. Estava 47 milhas a nordeste da ilha. Ou pensava estar, se tudo estivesse em ordem. Ar frio. Condições de visibilidade perfeitas.

Pelo menos uma vez, eu já havia avistado o monte Pascoal, na Bahia, a 45 milhas de distância. E, embora seja difícil avistar uma ilha a mais de quarenta milhas, sobretudo de uma posição tão baixa em relação ao horizonte, não seria totalmente impossível, considerando-se que a parte elevada da ilha está a mais de oitocentos metros acima do nível do mar. O dia todo remando e olhando, remando e olhando. E nada! Fui dormir cansado e triste. O domingo amanheceu envolto em névoa. Desde as duas e meia da manhã eu estava nos remos, e a neblina chegou com a certeza de que não veria ilha nenhuma até o Brasil. Seria a última chance de realizar meu sonho. Um grande esforço foi feito para mudar de rota, mas voltar atrás ou alterar ainda mais o rumo... nunca! Nem um milímetro!

Às 6:45 o dia clareou, mas o sol ainda estava escondido. Às 7:00 a névoa começou a dissipar-se. Continuei por meia hora, sem olhar para o lado, pensando. E não me contive. Entrei, estimei a deriva durante a noite, recalculei a posição, o rumo verdadeiro, o ângulo de visada. O rumo magnético: 220°. Saí. Última tentativa. Sem levantar os olhos, fui procurando na minha pequena alidade, segurando-a com as mãos, o número 220. Apontei para o horizonte e vi uma sombra. No momento seguinte ela desapareceu. Talvez fosse uma miragem, uma alucinação. Não tirei os olhos do horizonte. A sombra minúscula ressurgiu. Acima dela havia uma grande nuvem de um cinzento lavado. Seus contornos, aos poucos, tornaram-se definidos e revelaram de modo claro uma elevação. Em dois níveis, parte baixa e parte alta, exatamente como descrevia o *Pilot Book*. Desfiz minhas dúvidas. Eu estava a 38 milhas de Santa Helena.

Dei um berro, comecei a pular feito um doido, as lágrimas escorrendo pelo rosto. Naveguei por 45 minutos contemplando maravilhado uma sombra que para mim será sempre inesquecível. Pouco depois o sol esquentou e ela desapareceu. Eu estava a caminho do Brasil.

Santa Helena foi um amor platônico na minha vida. Tanto a

desejei, tanto lutei para me aproximar e nem sequer a toquei. Não foi preciso. Vê-la foi uma das mais belas coisas que já me aconteceram. A força daquela imagem distante transformou-se em ânimo, coragem e esperança. Ao avistá-la pela última vez deixei escrito no meu diário: "Último adeus à ilha. Um dia voltarei!". E dobrei sua página mais importante.

11. A ADEGA LUAR

O SUDOESTE SOPRAVA cada vez mais forte, em rajadas traiçoeiras, levantando carneirinhos de espuma. A cada onda, embarcava um pouco mais de água, mas não havia outro rumo a fazer e, se tentasse acompanhar o vento em vez de enfrentá-lo, certamente viraria.

Eu tinha doze anos, e estava tentando sair da Ilha da Bexiga, onde estavam meu irmão e um amigo, ensopados, batendo os dentes de frio, para ir buscar ajuda em Paraty, a nada mais do que uma milha de distância. Foi uma enorme travessia. Levei duas horas sem parar um minuto de remar, até alcançar o cais, e ainda fui ajudado por eles que, de carona num pesqueiro, chegaram antes à cidade.

Mas eu tinha conseguido trazer a minha canoinha *Max* sã e salva até o porto. Senti, tremendo convulsivamente de frio e cansaço, um enorme prazer por não ter desistido de chegar. Diversas vezes a canoa se encheu de água e eu acabei perdendo a cuia para esvaziá-la. Mas, pacientemente, seguindo os ensinamentos de velhos mestres canoeiros daquelas águas, nadando e puxando a canoinha de um lado para o outro até que a água começasse a sair pelas pontas, e com muito cuidado para não emborcar outra vez, pulava para dentro e acabava de esvaziá-la batendo com a palma da mão no fundo. Depois disso, nunca mais embarquei em canoa sem levar junto poita e cuia de reserva, ainda que fosse apenas para atravessar um riacho. Mas nem só em mar ou rio se navega nessa cidade, onde carros são proibidos. Quantas vezes não ia, em tardes de maré-cheia, buscar broinhas de milho na padaria, passando de canoa por entre os coloniais casarões, navegando nas ruas estreitas, assim projetadas para serem invadidas e lavadas pelas águas tranquilas da baía. Melhor do que uma Veneza tropical, pois, assim que descia, a maré deixava as ruas limpas e brancas de sal. Em marés de sizígia, mais fortes, e normalmente perto da Páscoa, algumas vezes chegávamos navegando até a igreja Matriz, quase contornando a praça principal. A comunhão com o mar em Paraty faz parte de sua história e é evidente em sua arquitetura, no traçado urbanístico e na própria cultura local.

Segundo porto do Brasil em importância em meados do século XVIII, por ali embarcou todo o ouro extraído de Minas Gerais que se destinava à Metrópole, até que, devido aos descaminhos em terra e ao assédio de corsários no mar, foi aberto o "caminho novo da Piedade", ligando diretamente as minas à capital da província, Rio de Janeiro, daí seguindo o metal rumo a Portugal.

Rica e poderosa, muito bem fortificada, a vila sofreu, a partir de então, um isolamento (interrompido com o ciclo do café) que a conservaria intacta e bela até hoje.

Sentado no cais, em tardes tranquilas, me punha a pensar como faziam os antigos veleiros, e principalmente as caravelas, para entrar e, sobretudo, sair de um porto tão abrigado e escondido entre as montanhas, até que aprendi os segredos dos terrais e dos ventos próprios de cada enseada ou costão. Ouvindo velhas histórias de grandes canoeiros que conheciam a pano e a remo todos os cantos e meandros daquela costa, algumas mágicas e impossíveis, outras nem tanto, terminei vítima de uma persistente febre de investigação.

Caixas de cacos de louça inglesa e chinesa, moedas antigas, algumas dezenas de balas de canhão, restos de cartas e documentos, e outros pequenos achados lotavam meu baú no sótão de casa. Os desenhos geométricos de influência maçônica, impressos nos sobrados de toda a cidade, a simbologia triangular nas esquinas, tudo era interessante.

No verão, as águas abrigadas da baía tornam-se muito quentes e buscávamos, então, o caminho das inúmeras cachoeiras nas montanhas em volta ou das praias de mar aberto, além dessas montanhas, em direção à divisa com o estado de São Paulo, e por onde não havia estradas naquele tempo. Em companhia do Paulo Fernando, inseparável amigo paratyense, fiz emocionantes viagens a pé em direção a Ubatuba, algumas vezes por quatro ou cinco dias debaixo da mata. Descalços e sem camisa, tentando não perder velhas picadas de caçadores, levávamos apenas farinha e paçoca num embornal a tiracolo, parando para dormir em casas de roça ou em ranchos abandonados. E invariavelmente voltávamos com os pés inchados de espinhos e a barriga varada de fome.

Uma dessas viagens foi fantasticamente reveladora. Fomos até a divisa, beirando o fundo de pronunciadas baías, sempre próximos ao mar para evitar as altas montanhas. No fundo da baía do Mamanguá demos em um interminável mangue, cercado de picos altos, que nos atrasaria pelo menos dois dias, e decidimos tomar de empréstimo uma canoa para atravessá-lo. Havia uma ilha pequena no caminho, mas o homem que nos levou, seu Fernão, que nunca em sua vida estivera em uma cidade, não permitiu que sua canoa aportasse ali. E disse-nos: "Essa ilha é habitada pelo demônio!". Como eu duvidasse e, de brincadeira, exigisse provas, ele confirmou: "A ilha é cheia de ossadas de pretos!".

E calamos a boca, sem entender como ele poderia saber. Na volta dessa viagem, na penúltima noite antes de chegarmos a Paraty, exaustos e procurando caminho mais curto por uma região distante do mar, ouvimos um batuque num vale. Talvez fossem dez horas da noite. Era um lugar que eu desconhecia, estrategicamente abraçado por uma curva do rio Carapitanga. Ficamos olhando a distância, numa clareira, mais de setenta pretos que dançavam e tocavam, num estranho ritual, em volta de uma fogueira. Eu não podia imaginar que houvesse tanta gente morando num lugar tão distante e inacessível. Nem um único branco ou mulato. Assustados, de madrugada fomos embora antes que alguém nos visse.

Alguns anos depois, quando se iniciaram as obras da estrada Rio-Santos, vim a saber que aquele lugar, o "vale do Carapitanga", constituiu o último reduto de um quilombo que permaneceu isolado até nossos dias, até a chegada da estrada. E a pequena ilha, no Mamanguá, em tempos antigos, havia sido o lugar onde os velhos do quilombo, que não mais podiam defendê-lo, eram deixados para morrer.

A última noite dessa mesma viagem foi passada, muito mais adiante, na fazenda da Itatinga, cuja sede, desde os tempos da Abolição, quase não mais foi tocada. Formidável e impressionante construção colonial que ainda hoje conta vivamente a história de uma época. Nos fundos do casarão, onde havia um alambique, em dornas velhas e abandonadas encontrei, em vez de pinga, montanhas de jornais velhos, a maioria comidos por ratos, cupins ou desfeitos pelo tempo. E ali — numa página rasgada que noticiava o fim da Primeira Guerra Mundial — o pedaço de um fascinante relato, o primeiro de uma longa coleção de relatos de expedições que eu acabaria juntando.

Ali estavam as primeiras linhas que guardei de uma das mais fantásticas, emocionantes e trágicas páginas da história das explorações do homem. Páginas escritas por poucos homens — Scott, Amundsen e Schackleton — e plenas de histórias de coragem e desespero, de determinação e frustrações, de descobertas e de sensibilidade: a história da conquista do polo Sul.

O capitão inglês Robert Falcon Scott, cuja obsessão científica sempre foi atingir o polo Sul, ponto geográfico no interior do continente antártico, de 1901 a 1902, a bordo do navio *Discovery*, montou sua base no mar de Ross, em Hut Point (no estreito de McMurdo), e até 1904, em sucessivas tentativas com trenós e cachorros, e à custa de grande sofrimento, avançou em direção ao polo. No entanto, sem vencer o planalto antártico, foi obrigado a desistir e retornar.

Em 1905, seu imediato Ernest Schackleton, que por ele fora salvo no difícil retorno da tentativa anterior, anunciou a disposição de montar uma expedição própria para tentar o feito não alcançado por seu capitão. A notícia foi trágica para Scott. Schackleton, a bordo do *Nimrod*, em vez de aportar na base que já existia, em Hut Point, e para não ferir os planos de Scott — que pretendia usá-la ainda —, viu-se obrigado a embarcar material para a construção de uma nova base.

Em 9 de janeiro de 1909, após ultrapassar a latitude já alcançada por Scott, Schackleton atingiu o ponto mais austral até então visitado pelo homem: 88°23' Sul. O polo ainda estava a 97 milhas, mas, sem víveres para continuar caminhando, decidiu não pôr em risco a vida de seus companheiros e iniciou um penoso retorno até o navio, retorno que custou dois meses de enormes sacrifícios.

Em junho de 1910, Scott torna a partir para o continente gelado a bordo do *Terra Nova*, e dessa vez está seguro de que alcançará o polo.

À mesma época o navegador norueguês Roald Amundsen, o primeiro homem a conseguir realizar a buscada "passagem de noroeste" do Atlântico ao Pacífico pelo estreito de Bering, sem pretensões científicas, alimentava o sonho de ser também o primeiro a alcançar o polo Norte. Amundsen finalizava os preparativos para sua expedição quando se anunciou que o almirante americano Robert Peary acabava de conseguir o feito, depois de 25 anos de tentativas. Amundsen, com uma expedição durante anos preparada para isso, e com tudo pronto para ir ao norte — um fabuloso navio polar, o *Fram*, cachorros da Sibéria, homens e trenós —, sem comunicar nada a ninguém inverteu, no dia da partida, seu destino, e surpreendentemente rumou para o sul. A tripulação foi avisada no mar, e todos concordaram. Uma espetacular corrida entre dois homens se iniciava.

Scott partiu de sua antiga base, em Hut Point, com dezenove pôneis da Sibéria e trinta cães puxando trenós, a 1º de novembro de 1911. Dois meses depois, ainda a meio caminho do polo, nenhum dos animais continuava vivo. A determinação dos homens era mais forte que tudo. Em 16 de janeiro, Scott e seus quatro homens, exaustos e desfigurados, arrastando seus pesados trenós, encontraram traços na neve. Estavam próximos do polo. No dia seguinte, a grande amargura se configurou. Em meio a uma tempestade de neve avistam um ponto preto na imensidão gelada: a bandeira da Noruega ao lado de uma tenda com a mensagem de Amundsen. Dessa dramática descoberta fizeram fotos, que existem até hoje. Fotos trágicas, que eles nunca chegaram a ver. Os cinco morreram no caminho de volta. Scott, a apenas dezessete quilômetros da sua base. Seus corpos foram encontrados sete meses depois, e os filmes, revelados.

Amundsen chegara um mês antes, também com quatro homens. Tendo partido da baía das Baleias, seguiu por uma rota totalmente desconhecida e alcançou o polo em 14 de dezembro de 1911, 35 dias antes de Scott, sem um único incidente grave. E um dia antes da data teoricamente prefixada para o retorno, alcançou, impecável, o *Fram*.

Depois de Scott, o polo Sul só voltaria a ser pisado por um homem 44 anos mais tarde, em outubro de 1956, pelo almirante George Dufek, comandante da expedição Deep Freeze, que ali desceu de um avião.

Mas a mais impressionante página de esperança, coragem e determinação da história contemporânea ainda estava por ser escrita.

O polo estava vencido quando o mesmo Schackleton idealizou e organizou uma expedição transantártica, que partiu em 1914 da Inglaterra com o ousado objetivo de atravessar o continente antártico passando pelo polo. Eram no total 28 homens a bordo do *Endurance*, que na verdade nunca alcançou o continente. Preso no gelo, no mar de Weddell, depois de dez meses de deriva, o navio foi destruído. A expedição, acampada em blocos de gelo que derivavam com a corrente, pulando de um para outro *iceberg* e avançando a vela e a remo, conseguiu alcançar a ilha Elefante, a 2 mil quilômetros do lugar de naufrágio, em 15 de abril de 1916. Estavam há um ano e meio sem pôr os pés em terra firme. Schackleton, a bordo de um dos botes que sobrou do navio, a baleeira *James Caird*, nome do médico do *Endurance* e que foi impermeabilizada com gordura de focas, decidiu então tentar buscar socorro nas ilhas Geórgias do Sul e separou cinco homens para irem com ele. Numa façanha quase impossível, os seis homens, depois de dezesseis dias gelados, atravessaram 1200 quilômetros da região mais tempestuosa do globo, exatamente no início da estação mais perigosa. Alcançaram o lado sul das Geórgias, não habitado, mas a estação baleeira ficava ao norte. E o pequeno barco, coberto de gelo e fazendo água, não venceria a arrebentação das encostas da baía Haakon. Schackleton novamente dividiu o grupo e, com dois outros e nada mais que 45 metros de corda, escalou uma cadeia de montanhas que até então ninguém vencera, e encontrou do outro lado da ilha a estação. Duas expedições foram organizadas, uma para resgatar os três companheiros deixados no lado sul da ilha, e outra para salvar os que ainda estavam na ilha Elefante.

Quatro meses, três navios e quatro tentativas foram necessários para que enfim se juntasse aos 22 restantes. Em janeiro de 1917 Schackleton retornava a Londres, após três anos e a mais inacreditável série de infortúnios, sem ter perdido um único membro de sua equipe.

Eram relatos fascinantes, sobretudo por eu os estar lendo sentado numa escrivaninha, numa casa e em uma cidade que contavam, no tempo, histórias muito anteriores. Mas o que mais fortemente me atraiu nessas leituras foi o navio de Amundsen, o *Fram* — especialmente projetado para resistir à pressão do gelo e às adversidades da navegação polar —, e o fabuloso planejamento logístico que o navegador norueguês elaborou, e que lhe permitiu, numa época em que não havia os recursos de hoje, levar adiante expedições de dois ou três anos seguidos sem um único reabastecimento.

A "passagem de noroeste" fora feita a bordo do minúsculo *Gjoa*, após três anos e três invernagens sucessivas no gelo ártico, de 1903 a 1906, de modo simplesmente brilhante.

Muitos pequenos veleiros que vêm do outro lado do Atlântico, em viagens de volta ao mundo, costumam fazer escala em Paraty ou na Ilha Grande. Não perdia um que se aproximasse. Aos poucos, em verdadeiras abordagens e pequenas "piratarias" para troca de livros, minha jovem biblioteca foi engordando, até que um dia consegui uma coletânea dos desenhos de Colin Archer, o famoso projetista do *Fram*. Um inovador em sua época que, munido simplesmente de bom-senso e imaginação, se tornou um mestre na arte de projetar barcos.

Barcos pequenos e seguros, em qualquer tempo. Os *pilots* noruegueses, de duas proas, até hoje em uso, são a prova da eficiência de seu estilo.

Namorando esses desenhos, comparando-os com a silhueta dos pesqueiros nas águas espelhadas do cais ou analisando as formas elegantes de velhos cargueiros de banana que a Rio-Santos aposentou e de cujos nomes ainda me lembro — *Grajaú, Flumi-*

nense, Ipiranga ou *Meu Brasil* —, a maioria já no fundo, eu terminaria um dia sonhando com um pequeno barco, de duas proas, para navegar em segurança além da ponta da Joatinga — a perigosa entrada da baía.

Como esse barco adquiriu remos em vez de velas ou motor, e por quê, eu francamente não sei. Mas, se além da *Rosa* houve alguma cúmplice, eu sei que ela é um pouco mais velha, vive perto do mar com seus segredos, e tem um lindo nome: Paraty.

A ideia me mordeu de forma definitiva quando percebi que não havia nada de tão absurdo em cruzar um oceano remando, ao contrário do que eu pensava até então. Havia muitos problemas, é verdade, centenas de problemas, mas todos, sem exceção, tinham uma solução. E o único verdadeiro problema seria organizar meticulosamente todas as soluções. Sem perceber, lancei-me num sofisticado desafio de logística e planejamento que pouco tinha a ver com os meus receios em relação ao mar ou à força física necessária para vencê-lo, e mais diretamente se aproximava dos problemas que como economista eu era frequentemente obrigado a resolver. Mas a embalagem da solução logística, a "lâmpada mágica" que atenderia aos meus 3 mil pedidos, no mínimo, continuava sendo o barco. Precisava de um projeto. Um projeto perfeito e de alguém não só competente mas que estivesse — como eu — apaixonado pela ideia e à procura de soluções.

Fiz dúzias de consultas a projetistas e engenheiros, e não encontrei um único que se dispusesse a ler até o fim o meu "dossiê amarelo".

Surgiu então um inesperado incidente no desenrolar dos planos que ainda engatinhavam. Sofri, em casa, uma grave secção da mão direita, e um longo período de operações e implantes alteraria o curso dos acontecimentos. A partir daí, sem o menor compromisso com a ideia de fazer uma longa viagem por mar, continuei, nas horas vagas, pesquisando e estudando mapas, correntes, técnicas de sobrevivência e outros assuntos interessantes, por mera curiosidade.

Após a segunda operação, em que todas as ligações tiveram que ser refeitas, pois a mão imóvel se atrofiara, fui obrigado a usar um estranho aparelho de ferros, elásticos e ganchos para segurar os dedos, e descobri que, usando só a esquerda, me tornara um ás do volante. Com uma só mão fazia tudo tão bem como antes, algumas vezes melhor, e aos poucos fui relaxando os exercícios de fisioterapia. Tudo ia às mil maravilhas. Dirigindo o meu demolidor Toyota, para cima e para baixo com os ganchos ao peito, descobri numa fazenda abandonada, em Ubatuba, dois tratores Lanz de antes da guerra, talvez de algum lavrador pré-histórico, de tão antigos. Comprei-os por peso, e levei um susto ao desenterrá-los e constatar que funcionavam. Feliz da vida com a descoberta, decidi arar a vargem do Caboclo e fazer uma experiência com plantio de feijão. Uma semana sentado no Lanz, e três meses depois o feijão estava lindo. Enquanto o feijão crescia, passei pela terceira operação; dez horas de microcirurgia, quase cinquenta pontos.

Época da colheita. Sempre dirigindo o Toyota, fui com o Joaquim levar o almoço para a turma à beira da estrada. Cruzei a Rio-Santos e não vi um Fiat que se aproximava em velocidade. Foi um choque violento. Era um casal no primeiro dia de sua lua de mel. Estavam feridos, o Fiat totalmente destruído. Carreguei a mulher nos braços e fomos para a Santa Casa. E me esqueci por completo dos pontos. Acabei me tornando amigo do casal, e o resultado do feijão foi gasto em um novo Fiat. Mas os meus pontos arrebentaram e uma nova operação foi necessária. A partir daí tomei uma decisão definitiva: se é que de fato eu continuaria a alimentar a ideia de fazer um barco, era absolutamente necessário obedecer às ordens do dr. Azze e tratar de me esforçar. A recuperação foi rápida, e os planos começaram a progredir.

Por indicação do IPT (Instituto de Pesquisas Tecnológicas), na USP, já quase perdendo as esperanças de tanto caçar projetistas, conheci o engenheiro naval José Carlos Furia, que abraçou a ideia com todas as suas forças. Mais de duzentas páginas de desenhos, gráficos e tabelas saíram de sua prancheta. Estudos e cálculos suficientes para deixar qualquer computador em pânico. As possibilidades mais remotas e absurdas de acidentes foram levadas em consideração. Pilhas de livros, tratados e teorias subiam até o teto. E, apesar dos largos bigodes de cientista maluco e de seu inseparável computador de bolso, o Furia mostrou uma qualidade fundamental para se atingir a perfeição: humildade.

Dezenas de noites passamos em claro perdidos em complicados cálculos ou tentando encontrar soluções gráficas para algum problema difícil. E, se subitamente algum estranho descobrisse a resposta, ou um erro qualquer, o Fúria sem a menor cerimônia rasgava tudo e começava de novo. Do primeiro desenho até os últimos detalhes do projeto um ano inteiro se passou. Ao mesmo tempo começou a maratona da construção.

O casco seria feito em madeira moldada, impregnada em epóxi, num processo que alia a leveza à alta resistência mas que exige muita competência técnica e trabalho especializado.

Desesperado à procura de um estaleiro, e certo de que a finalidade do barco era o que espantava a todos, conheci, em casa e por acaso, o Eduardo, que em três palavras topou a obra. Seu estaleiro, Iates Alpha, ficava próximo do Rio, mais precisamente no Jardim Redentor, bairro de Vilar dos Teles, em Nova Iguaçu — pulsante e sangrento coração da temida Baixada Fluminense.

Verdadeira aventura para um desprevenido forasteiro que por aí se adentra pela primeira vez. Pois só fiz bons amigos naquele tão malfalado fim de mundo. Durante sete meses, um dia por semana eu passava ali, acompanhando a construção, brigando por causa dos atrasos, trazendo novos desenhos, e deixando o Eduardo de cabelos brancos. Ia quase sempre de ônibus. Três ônibus diferentes, caindo aos pedaços, e tantas paradas perdi cochilando, ou distraído, pensando no nascente barco, que me tornei um profundo conhecedor da Baixada. Não havia por ali canto que não tivesse visitado.

Fazia minhas refeições num adorável lugar que descobri em Vilar dos Teles: a Adega Luar. Pipas de vinho até o teto, fugitivos bêbados dormindo no balcão, cachorros vadios no chão, moscas sonolentas em toda parte. Foi o único lugar onde encontrei algo diferente de um sanduíche, e *à la carte:* um bife que apanhava no açougue ao lado, fritas que jaziam no balcão e arroz, se tivesse sobrado na casa do simpático dono, o português Raul, que tinha um irmão morando na África (ele sempre me contava do irmão) e a interessante mania de beliscar um pedaço de tudo que servia no balcão.

No dia em que o barco, para meu total delírio, ficou finalmente pronto, ao iniciar a viagem até São Paulo, rebocando-o com o carro da Laura, dei uma paradinha na Adega Luar para dizer adeus ao Raul e, por um destacamento de polícia especialmente acionado por um policial cliente da Adega Luar, fomos detidos com o barco e tudo sob suspeita de contrabando. O engano se desfez horas depois no balcão do Raul, a largos copos de "rascado" tinto, e prosseguimos viagem.

Imaginava então que o principal estava pronto. Denso engano. Meses de febril atividade estavam pela frente. A fase mais complexa e delicada ainda não começara. A necessidade de patrocínio para o projeto tornou-se evidente.

Em casa de meu primo, Roberto, conheci um amigo seu, Jacques Eluf, dono da IAT Cia. de Comércio Exterior. O barco ganhou um nome, *IAT*, a viagem o apoio decisivo para ser concretizada, e eu ganhei mais que um amigo, um irmão de peito aberto que, sem medir esforços ou sacrifícios, esteve ao meu lado nas horas mais difíceis e desacreditadas. O único entre os poucos que leram todas as linhas do "dossiê amarelo" a quem pude revelar os meus receios.

O barquinho acumulava centenas de quilômetros rodados no asfalto: primeiros testes na lagoa Rodrigo de Freitas, na garagem de barcos do Clube de Regatas do Flamengo, instalação de equipamentos nas oficinas do Clube Espéria, em São Paulo, novos testes na raia olímpica da USP, e ainda mais testes de antenas na represa de Guarapiranga. Na Control, onde estava prevista uma permanência de dois ou três dias, um mês inteiro foi gasto na execução de trabalhos: todas as peças em inox e alumínio, instalação elétrica blindada, os primeiros testes de comunicação. Montanhas de ferramentas, parafusos, fios, caixas e gráficos cobriam o casco. O Cid, largando a direção da fábrica para dar sugestões. O incrível Marcão, fazendo peças impossíveis. O fabuloso Ferreira, dezoito horas por dia puxando fios, abrindo com sua implacável furadeira buracos que me deixavam histérico, com seu imperturbável bom humor entrou e saiu pela apertada portinhola muitas vezes mais do que eu faria em dez travessias.

Viagens ininterruptas entre Rio e São Paulo, ao sul, a Brasília, atrás de peças, informações, dados, autorizações. O Hermann — nos fins de semana enterrado em parafusos debaixo do barco e durante a semana, de sua sala, na agência central do Banco do Brasil, que quase se transformou em meu escritório, ajudando-me no preenchimento de quilométricas guias e formulários de exportação — foi testemunha de que a viagem em si nada tinha de exaustivo diante da monumental operação de preparativos que a antecedeu.

Quando finalmente se fechou a grande caixa de madeira, que viajaria para a África com o barco, todas as minhas bagagens e o suor de tanta gente, faltavam apenas algumas horas para o embarque no navio, já atrasado, a cem quilômetros dali. Olhando o caminhão que se afastava, eu só tinha uma certeza. Por mais que o Atlântico se mostrasse mal-humorado, a viagem de volta seria um cruzeiro de férias perto da maratona terrestre que, eu desconfiava, não havia terminado.

Uma garrafa de vinho da memorável Adega Luar, que seria quebrada no lançamento do barco, ficou para trás. E numa rápida comemoração ela foi esvaziada.

12. REMANDO COM AS ASAS

Comecei o mês de agosto como se estivesse iniciando uma nova viagem, infinitamente mais animado do que ao deixar a África. Já conhecia bem o barco e suas reações, e estava na mais completa liberdade. Não mais havia um continente me pressionando às costas, mas simplesmente um objetivo a alcançar. Era uma questão de tempo, e com o tempo aprendi a lidar.

No início, é engraçado, eu relutava um pouco em falar sozinho. Normalmente, o ato de falar consigo mesmo, em voz alta, não é muito bem entendido por eventuais testemunhas. Aos poucos, conversando baixinho, e depois em altos brados, eu perdera a vergonha e ao mesmo tempo descobrira a mais brilhante forma de fazer as horas passarem rápido. Os dias começaram a flutuar no tempo.

Às vezes me perdia em assuntos complicados, em tortuosas explicações sobre fenômenos que observava ou terminava em inflamados discursos que inventava. Mas, no final, sem perceber o sol se aproximar do horizonte, estava rachando de rir. Outros dias não estava disposto a falar. E, então, cantava. E, como guardo pouco as letras das músicas que conheço, inventava letras novas, algumas surpreendentes, outras impublicáveis. O gravador e a caixa de fitas tornaram-se obsoletos. Mas não estava de modo algum perdendo o juízo. Sem esses divertidos procedimentos, penso que seria muito difícil manter o bom humor por um período tão longo e com uma atividade perigosamente monótona como a minha.

Só comecei a controlar um pouco os exageros dos meus expedientes artísticos quando, um lindo dia, me surpreendi em plena calmaria, como um doido, imitando a banda de Paraty. A bandinha que nas festas religiosas da cidade, festa do Divino, festa de São Benedito, toca sempre a mesma música. Fazendo todos os instrumentos, a cabeça sacudindo, os cabelos voando, bumbo com os joelhos, pratos com os cotovelos, tudo ao mesmo tempo; os instrumentos de sopro, os remos batendo na água no ritmo da marchinha que tanta saudade me fazia e... de repente, um tapa no costado. Impossível! Não havia um pingo de vento. Com o mar espelhado, não poderia ser uma onda. Larguei os remos, pus a cabeça junto da água e fiquei paralisado. Um enorme tubarão lentamente se esfregava no casco, com a galha para fora da água, e com sua cauda, a cada passada, dava um tapa na proa. Parecia mais surpreso do que eu, após testemunhar, num dia tão silencioso e tranquilo, tamanho espetáculo musical. Mas não se afastou quando me aproximei, como faziam todos os tubarões que vi até então. Tão próximo e de modo tão tranquilo passava, que cheguei mesmo a tocar, com a ponta dos dedos, a parte delgada de sua cauda, que saía da água. Pela primeira vez, durante o dia, pude, em total segurança, analisar frente a frente o ser que mais me preocupava no mar. E não senti medo. Pelo contrário, encarando o seu olhar frio e infinito, não vi naquele animal um inimigo, mas um sócio. E me arrependi de uma noite, assustado, ter pensado em procurar o arpão. Como todos os seres da natureza, ele estava ali lutando por sua sobrevivência, procurando no meu casco as iscas para o seu sustento. Um pobre coitado tubarão que está condenado a permanecer em eterno movimento para poder respirar, nadando do nascimento à morte, pois, ao contrário dos peixes de estrutura óssea, não possui bexiga natatória e, se parar, irá ao fundo e morrerá asfixiado. Simplesmente não havia sentido em matá-lo, pois sempre haveria outros e mais outros em seu lugar. E, na realidade, ele não estava me ameaçando. Eu sabia por que estava ali. Eu não o interessava diretamente, e ele não me atraía nem um pouco. Enquanto não resolvesse o problema dos moluscos, no fundo, estava certo de que não teria sossego com os meus esfomeados companheiros — e não seria eliminando-os que eu os afastaria.

Continuei olhando os seus lentos e perfeitos movimentos, e comecei a pensar em como conseguimos ser estúpidos às vezes, em como nos falta o sentido prático da natureza.

No lugar em que me encontrava, onde se sente a vida suspensa por laços tão frágeis, onde a luta pela sobrevivência é contínua e não admite falhas, o respeito à vida atinge uma forma superior.

Enquanto o perigoso tubarão se afastava com um ar de superior indiferença, lembrei-me de que, havia algum tempo, me perguntaram pelo rádio se eu pescava. Eu sempre gostei de pescar, embora não fosse muito brilhante no ramo. Mas ali, vivendo num meio tão hostil, jamais a ideia de suprimir uma vida, sem necessidade, me pareceu tão absurda!

Assim como nada seria mais natural do que abastercer-me dos queridos dourados, se tivesse fome e deles necessitasse para sobreviver, também nada poderia parecer mais incoerente e insensato do que o gesto de pescar por simples curiosidade ou de matar unicamente por reconhecer um animal perigoso sem ao menos ser ameaçado por ele. Especialmente eu, que estava tão bem alimentado e saciado, e tão livre de ameaças. Lastimei cada peixinho-voador que veio cair duro ao chocar-se, por acaso, com o barco. Que tremendo azar, voando em pleno Atlântico, após escapar de milhares de ataques de gaivotas e dourados, vir bater num minúsculo e inesperado objeto movido a remos!

Mas não lastimei os que eram disputados e finalmente devorados. Formidáveis duelos entre dourados, que os perseguiam por mar, e gaivotas que os atacavam por ar — impressionantes acrobacias aéreas e manobras aquáticas a que assistia pacificamente remando —, faziam-me entender que no mar há um sentido de utilidade e renovação eternos.

Os peixes-voadores eram as grandes vítimas e talvez, depois do plâncton, o principal elo do ecossistema que eu atravessava. Deles se alimentam todas as gaivotas, a maioria dos peixes e mesmo alguns mamíferos. Nutria uma grande admiração pelos poucos exemplares que alcançavam o tamanho de uma sardinha, pois eram os sobreviventes de milhões e milhões de outros pequenos que nunca atingiriam a idade adulta e que andavam voando em pequenos trechos, sempre contra o vento, formando verdadeiras nuvens. Ao atravessar essas nuvens durante o dia, eu perdia no mínimo quinze minutos para remover algumas dúzias de peixes-voadores, nunca com mais de cinco centímetros cada um, e que se enfiavam nos cantos mais impossíveis. E, se não fizesse, eu teria a exata certeza de estar remando uma peixaria, tão forte era o cheiro deles.

Na verdade eles não são voadores, mas planadores. Suas "asas" só servem para o planeio, e o que os impulsiona é uma incrível vibração da cauda, ainda dentro da água. É por essa razão que só decolam contra o vento. Os dias de calmaria eram fatais para suas acrobacias aéreas.

No domingo, 5 de agosto, completava a oitava semana no mar. Finalmente eu passei a metade da distância entre o ponto de partida e a costa do Brasil. Meio Atlântico estava cumprido. E decidi, após o expediente, fechar para balanço. Esse tinha sido um momento ansiosamente aguardado. Até então eu contava as frações da viagem: um quinto, um quarto, um terço. Mas agora era diferente. Metade! Deveria me sentir na descida final, mas infelizmente não havia descida nenhuma à minha frente, só mar. Percebi que só estaria na reta final quando realmente estivesse ganhando latitude e indo para o sul; até então, em nenhum dia eu deixara de ir para o norte... Estava acima de Salvador e deveria continuar subindo por talvez mais uma semana.

Estava, sim, feliz, porque após tanto tempo e metade do meu sonho realizado, ao invés de cansado ou desesperado para chegar, estava animado e extraordinariamente mais disposto do que quando partira de Lüderitz. Sempre pensava em chegar, mas de uma forma distante e vaga. Agora as coisas mudavam: em vez de contar as milhas que já cumprira, contaria as que faltavam. Era muito diferente. Do ponto de vista técnico, a metade era ainda mais importante. Pude enfim avaliar a precisão logística na preparação dos equipamentos e suprimentos.

Água, alimentos, gás, havia ainda com sobra para concluir a outra metade. Peças de reposição, oficina, farmácia, intactas. Quebras de material, desgaste, não havia. Fantástico! Tudo exatamente como previra, até mesmo um pouco melhor. A saúde estava perfeita. Nenhum incidente. Nem mesmo espinha, furúnculo ou qualquer tipo de problema com a pele, olhos ou sistema digestivo, tão comuns em longas permanências no mar.

A única coisa que ainda me incomodava eram os calos nas mãos e os que, apesar da almofadinha, ainda tornavam tão penoso o ato de sentar. Para esses, o uso constante da roupa de borracha foi a solução mais confiável e, para as mãos, encontrei uma saída genial — em vez de cuidar dos calos, comecei a cuidar dos remos. Apliquei uma cobertura de esparadrapo sobre os ásperos punhos de borracha e o problema foi definitivamente resolvido. Os imensos calos, que ao secar e rachar me impediam de abrir as mãos, simplesmente sumiram.

Mas a mais extraordinária emoção foi a certeza de que eu seria perfeitamente capaz de repetir o que fora feito até então. Distante de qualquer ponto, duas eternidades me separavam da terra. Uma, que deixava para trás, árida e assustadora; outra, que ganhava pela frente, maravilhosamente clara e azul. Sem dúvida, muitas surpresas ainda me aguardavam, mas, diante dos apuros por que passara, nada poderia ser tão difícil. Situações que por nada no mundo enfrentaria novamente. No mar? Não! No mar tudo ia bem. Mas ainda em terra, quando tinha o mar pela frente, as coisas eram diferentes.

A nervosa despedida no Armazém 19, em Santos, não me saía da cabeça. O terrível cheiro de fertilizantes, no porto, os poucos amigos indo embora, meu pai, o Jacques, os primos Roberto e Carlos. A querida Kathy e a maravilhosa Flora, com a voz trêmula, tentando me dar os últimos conselhos sobre a alimentação. As duas, barradas no portão, pois, ao contrário dos portos em quase todos os lugares do mundo, em Santos não é permitida a entrada de mulheres. Eu estava, posso confessar agora, morrendo de medo. Apavorado. E não podia dizer uma única palavra àquelas pessoas queridas, pois as mataria também. Medo que guardei em segredo, no *Santiago*, na África, em Lüderitz, até o dia em que pus os remos na água. Um medo que não pude dividir com ninguém. Embora todos estivessem ao redor, nunca me senti tão só, nunca! Estava caminhando numa direção oposta e desconhecida, indo contra a corrente, desafiando os que duvidavam e me afastando dos poucos que acreditavam.

Passados dois meses de tantas histórias, comecei a pensar no sentido da solidão. Um estado interior que não depende da distância nem do isolamento, um vazio que invade as pessoas e que a simples companhia ou presença humana não podem preencher, solidão foi a única coisa que eu não senti, depois de partir. Nunca. Em momento algum. Estava, sim, atacado de uma voraz saudade. De tudo e de todos, de coisas e pessoas que há muito tempo não via. Mas a saudade às vezes faz bem ao coração. Valoriza os sentimentos, acende as esperanças e apaga as distâncias. Quem tem um amigo, mesmo que um só, não importa onde se encontre, jamais sofrerá de solidão; poderá morrer de saudades, mas não estará só.

À medida que o tempo passava e a linha pontilhada na carta do Atlântico avançava em direção ao Brasil, em vez do peso do isolamento eu sentia o conforto e o apoio de pessoas que, sabia, estavam junto comigo, lado a lado, torcendo, rezando ou mesmo arrancando os últimos fios de cabelos, de preocupação.

E, isolado, também não estava. Ao redor, tudo era sinal de vida. Gaivotas e aves marinhas de todo tipo, as ondas com quem discutia, pilotos e fiéis dourados aumentando dia a dia. As imensas e amáveis baleias e mesmo os desagradáveis tubarões me faziam companhia. E, acima de tudo, havia o rádio e a formidável corrente de solidariedade que os colegas radioamadores mantinham acesa na ponta de suas antenas.

Tudo, menos solidão!

O grande problema de estar sozinho era não ter com quem reclamar das coisas que não iam bem. Quantas vezes não me peguei resmungando, tentando pôr a culpa em alguém porque o meu travesseiro não funcionava direito ou porque não tinha acertado o macarrão. No fundo, sabia que fora uma sábia decisão não embarcar um companheiro. É muito difícil conviver num ambiente tão apertado e é praticamente impossível conciliar hábitos diferentes por tanto tempo, sem declarar conflito armado. Às vezes dava graças a Deus por estar só e, num momento difícil, poder decidir com calma e sem pressões. Assim como nas boas horas o lado positivo das pessoas se soma, nas horas negras o lado negativo se multiplica, criando pânico e trazendo às vezes perigo maior do que a própria situação. Um segundo tripulante não teria durado muito tempo a bordo.

Em pânico quase entrei quando, por um inexplicável descuido, perdi o calção e constatei que era o único que possuía.

A nona semana começou com uma operação geral de consertos e reformas. Os dois tanques pequenos de água doce, com quarenta litros cada, já estavam secos e foi possível distribuir melhor o peso, transferindo a água dos restantes através do sistema de bombas e válvulas.

O radinho Sony, no qual ouvia as notícias e o programa do Paulo Giovanni, era o único que não permanecia fechado na "sala de comunicações" (a caixa estanque, onde estava o rádio principal, um SSB e dois aparelhos VHF), e, após tantos respingos de água salgada e jatos de vapor da panela de pressão, resolveu não mais funcionar.

Desespero geral a bordo: o radinho tornara-se um amigo importante. Através dele fazia, semanalmente, a correção dos segundos do cronômetro de navegação, ouvindo o *top* horário em frequências que não podia captar com o rádio principal. Eu não podia deixá-lo morrer depois de tantas alegrias que passamos juntos. Munido de meus rudimentares conhecimentos de eletrônica, de ferramentas de relojoeiro e sem controlar a curiosidade, realizei uma verdadeira autópsia em seu complicado interior: circuitos impressos por todo lado, mecanismo digital, miniprocessador, memórias. Mas nada de funcionar. Resolvi admitir a minha ignorância e, antes de baixá-lo ao túmulo, fiz uma lavagem completa com álcool, e... milagre! Funcionou!

Eu trazia ao pescoço uma correntinha de ouro com uma cruz que pertencia à mãe de minha amiga Laura, d. Natália, que tinha uma nobre missão: retornar. Era linda, e eu gostava muito de tê-la ao peito. Na terça-feira, no escuro, ao sair para o trabalho, em pé, com o barco balançando e desajeitadamente tentando vestir a roupa de borracha, sem querer arranquei a correntinha, que caiu em alguma parte. No mar, talvez. Remando, com um buraco no coração até o nascer do dia, quase morri de alegria quando a encontrei pendurada na base da antena de VHF, com a cruz e tudo.

Que festa! Guardei-a num cantinho até a hora do almoço, quando saí atrás do minialicate, na caixinha de ferramentas. Foi um trabalho difícil, num lugar que balança tanto, mas digno de um mestre-ourives: a correntinha não saiu mais do pescoço.

O barco andava bem, e o mar também. Mantendo um rumo menos apertado em relação às ondas e subindo rapidamente para o norte, a cada dia melhorava a média de milhas percorridas. Caso o vento se mantivesse naquela direção, és-sudeste, e não mais insistisse pelo sul, alcançar o Brasil antes de completar os 109 dias previstos não seria impossível.

Em 9 de agosto completei sessenta dias e batia mais um recorde de trabalho: 52 milhas em 24 horas. Obrigado, correntes! Mas, no dia seguinte, segundo mês da partida, veio o pagamento. Sumiram as ondas que me empurravam, o vento parou, e tudo o que consegui foram 26 míseras milhas.

Como prêmio de consolação, presenteei-me com a audição de uma fita que a Laura gravara, muitos meses antes, com a recomendação expressa de só ser ouvida no meio do Atlântico. Eram mensagens de sua família e de um monte de amigos.

O Luciano, profético, o dr. Ermínio, as previsões políticas do Lua, as óperas do Luiz, advertências da Irene e da Celina, e até mesmo o Tulum, o cachorro maluco do Beto, estavam na fita. Ouvi, atento, às vezes ria muito. Voltei a fita, e ouvi novamente. Muitas vezes. Creio que jamais aquelas pessoas poderiam imaginar o significado, a importância, a emoção daquelas poucas palavras nos meus ouvidos.

O mar voltou ao normal e o tempo encobriu-se. As chuvas tornaram-se frequentes, mas, como sempre, nunca chegavam a proporcionar um banho.

As nuvens pesadas que corriam para o horizonte e o sol, que por tantas semanas andou escondido, me alertaram para um problema importante: as baterias e o sistema de energia. Eu dispunha de uma extensa lista de equipamentos eletroeletrônicos cujos itens principais eram o radiotransmissor (um poderoso devorador de baterias) e o sistema de iluminação e sinalização. Havia ainda o gravador, o receptor, dois carregadores para os rádios VHF, a calculadora, iluminação da bússola e luzes de emergência. Tornara-me um guloso consumidor de eletricidade. E todo esse sistema dependia de dois grupos de baterias, que eram recarregadas por painéis solares. Equipamento simplesmente perfeito. Os painéis carregavam as baterias e produziam toda a eletricidade de que necessitava com a luz do sol.

Embora desde o começo muitos técnicos, por pura ignorância, me desaconselhassem o uso desses "painéis fotovoltaicos", eu sabia que eles constituíam a única solução para o meu problema. Não seria totalmente impossível trazer um pequeno gerador para carregar as baterias, mas rebocar um petroleiro de combustível para fazê-lo funcionar por tanto tempo ou transformar meu barquinho num posto de gasolina soava, no mínimo, ridículo. Assim como trazer um pequeno motor, como alguns, mais apressados, aconselhavam. Para ir aonde? Um motor não me serviria para absolutamente nada sem estar com, pelo menos, uma tonelada de combustível no tanque.

Houve mesmo quem insistisse em que eu pedalasse quatro horas diárias numa bicicleta acoplada a um alternador, e assim produzisse energia, como se não bastasse remar o dia todo, ou como se fosse possível transformar o barco numa academia de ginástica com o balanço do mar.

O que eu não podia imaginar é que os painéis pudessem ser tão eficientes. Uma vez que dependiam da luminosidade para gerar energia elétrica (que era armazenada nas baterias), pensei que teria problemas no caso de períodos prolongados de tempo encoberto. Nada disso. Mesmo nos dias nublados, o rendimento com a simples claridade do dia era surpreendente, e sobretudo quando havia mormaço acompanhava pelo miliamperímetro o incrível aumento de rendimento. Estava com dois painéis, quando, na verdade, necessitaria apenas de meio para suprir minhas necessidades.

Um exame na bateria principal com densímetro apagou minhas preocupações. Estado de saúde, ótima. Carga plena.

Deliciosa sensação gerar energia com a luz do sol. Eternamente. Sem ruídos. Sem contas de luz.

Após dois dias sem tocar no sextante, a 15 de agosto plotei a mais emocionante posição na carta do Atlântico. Ultrapassei a dobra central da carta e tive que virá-la. E com régua, lápis e compasso marquei, orgulhoso, a primeira posição do outro lado da carta, o lado em que estavam impressos os contornos da costa do Brasil. Contemplava maravilhado, naquele papel à minha frente, acidentes geográficos que já conhecia: atol das Rocas, Fernando de Noronha, Abrolhos... águas já navegadas próximo à costa, ou a planície abissal de Pernambuco, com profundidades superiores a 5 mil metros, sobre a qual estaria brevemente flutuando. A cobrinha de pontos continuava crescendo. O caminho percorrido era imenso.

Peguei no sono, quase hipnotizado pela carta, e por um triz não provoquei um incêndio com a velinha que ficara acesa. Descobri que, enchendo-a com a cera picada de uma "vela de sete dias", que não funcionava muito bem, a velinha amarela do Hermann era uma fonte de luz interminável. Desde que eu não me distraísse.

Na manhã seguinte, durante o primeiro intervalo de trabalho (de dez minutos), enquanto preparava um lanche voador, ouvi num programa de rádio uma notícia que me impressionou profundamente. A plataforma de petróleo da Petrobras, Enchova, se incendiara e, durante o abandono, com as pessoas tomadas de pânico, uma das baleeiras de salvatagem desprendeu-se dos cabos ao iniciar a descida, despencou no mar e perto de trinta pessoas haviam morrido. Fiquei chocado, pois as formas do meu barco, estudadas com o engenheiro Furia, foram também inspiradas em estudos que fizemos em dezenas de tipos de botes de salvatagem, em especial nas baleeiras de petróleo. Embarcações extremamente seguras que devem resistir ao fogo, a quedas de grande altura, a capotagens no mar e ao afundamento, os seus requisitos de segurança eram muito próximos dos que definíramos para o nosso projeto. E percebemos que muita coisa poderia ser não só aproveitada como aperfeiçoada na "lâmpada".

O acidente de Enchova me tocou de perto. Senti na carne que, para evitar desastres no mar, ainda mais importante do que o equipamento adequado de segurança, é imprescindível dominar o pânico. E isso só pode ser feito quando se adquire confiança, com treinamento, adestramento e muita paciência, antes que as coisas aconteçam. Se me tivesse descontrolado um só momento nos difíceis dias do início da viagem, seguramente não estaria do outro lado da carta do Atlântico.

Voltei ao trabalho, desta vez apertando um pouco o ritmo e forçando a proa para o sul. Cada vez que entrava em acordo com as "comadres", uma "perdida" surgia por trás e me molhava. Lutando contra as ondas para manter o rumo que desejava e prestando atenção para não levar um golpe dos remos no peito, quase não percebi uma gaivota estranha, pairada no céu, me acompanhando em cada movimento. O que faria ali em cima, me observando com tanta precisão? Que vista fantástica deveria ter, poucos metros acima, e um horizonte tão maior que o meu. Totalmente negra e muito maior do que todas que já vira. Era linda. Não movia um milímetro sequer a ponta das asas. Simplesmente se sustentava no vento. Imaginei-me visto de cima. O que pensaria uma ave tão perfeita ao encontrar tão estranho e desajeitado ser entre as ondas, debatendo-se com as asas dentro da água? De fato, diante de formas tão finas e aerodinâmicas, de um conjunto tão harmonioso de equilíbrio e movimento, nada poderia parecer tão inadequado e impróprio para cruzar o oceano que um ser humano movido pela força de seus braços e arrastando um par de madeiras na água.

Mas a "águia negra", como a chamaria mais tarde, em seu elegante e impecável voar, quase zombando da precariedade de meus braços e pernas, me fez pensar. Ela também buscava terra, e com seu perfeito e inexplicável instinto de navegação haveria de alcançá-la. No entanto, o que nos separava não eram alguns metros de altura acima do mar ou a imperfeição de formas e movimentos, mas algo superior e poderoso que torna os homens diferentes dos animais e que os faz resistir além de suas forças, alcançar limites acima do possível: a vontade.

Minha amiga, a "águia negra", poria seus ovos em terra, não duvidava, porque assim é o seu instinto. Mas eu poria os pés no Brasil porque estava determinado até os ossos a fazer isso. Ainda que os remos se partissem. Ainda que tivesse que remar com as asas.

13. O TUBARÃO AMARELO

ANOTAÇÃO DO DIÁRIO:
Vinte de agosto de 1984, dia número 72.
Posição 10°08' latitude sul, 18°08' longitude oeste.
Salvador a 1200 milhas.
Moral diretamente proporcional ao rendimento: baixo.
Apesar dos lindos dourados saltando! Apesar de hoje ter sido o dia mais espetacular até agora.

É engraçado como o bem-estar não depende do conforto, da tranquilidade ou de situações favoráveis, mas simples e unicamente da sensação de ir em frente.

Embora tudo e todos estivessem perfeitos a bordo, as pobres milhas de avanço nas últimas 24 horas me arrasaram. Nos últimos dias me esforcei ao máximo para andar melhor e sobretudo para conseguir fazer um rumo mais ao sul. Sem sucesso.

A partir de Santa Helena, e por mais de duas semanas, o rendimento melhorou bastante. Sem compromisso com o vento ou as ondas, trabalhava sempre na direção mais confortável. Mas, ao mesmo tempo que corria para o Brasil, perdi muitas milhas para o norte. Constatei que havia subido exageradamente, mais preocupado com o avanço do que com o rumo a seguir e, se não começasse a descer em latitude antes de cruzar o meridiano 20°, dificilmente alcançaria Salvador. Recife ou Natal, nesse caso, passariam a ser pontos de chegada muito mais interessantes, pois, além de economizar perto de 150 milhas em distância, poderia remar em ângulo muito mais favorável em relação às ondas e evitar muitos dos banhos que andava tomando ultimamente. Mas o vento parecia não se sensibilizar com os meus problemas e, para piorar a situação, estabilizou-se em su-sueste.

Com um buraco na alma, comecei a admitir a possibilidade

de abandonar Salvador como destino e procurar um caminho menos difícil mais ao norte. Seria uma triste decisão. Primeiro, por desistir do plano original de aportar num ponto previamente definido; segundo, porque Salvador é um lugar que mora no meu coração.

Ali desembarquei pela primeira vez, aos nove anos, do velho cargueiro *Almirante Alexandrino*, numa emocionante viagem que me levou pelo Amazonas até Manaus. Anos mais tarde, em companhia do Hermann, partiria da simpática praia do farol da Barra para minha mais dura aventura no mar: mil milhas percorridas em 22 dias a bordo de um simples catamarã (Hobie Cat 16) até Santos. E, ainda, foi pela escadinha junto ao Mercado Modelo que deixei a cidade, pela última vez, para embarcar na minha primeira grande viagem a vela. Tudo que conhecia de Salvador estava ligado ao mar.

Não tomei decisão nenhuma e atravessei em dúvida e desânimo a décima primeira semana no mar. Os dias estavam lindos, o mar tranquilo, os peixes-voadores bailavam no ar. Às vezes, bandos de velozes golfinhos, que nunca se detinham, faziam enorme agitação passando em círculos em volta do barco. Uma tarde vieram anunciando a presença de dois estranhos peixes. Eram barracudas cheias de dentes que colocaram os dourados em pânico. Ao partirem, os pobres dourados davam saltos de alegria.

O mar continuou numa calma apostólica e as ondas pareciam santas de tão comportadas.

Mas o ânimo não voltou. A cada dia o sextante era o porta-voz de um novo recorde de lentidão, e minhas posições continuavam caminhando para o norte. O barco se arrastava. O casco estava imundo, com crustáceos por toda parte. Limo em abundância. Havia muitos dias os tubarões não davam mais sossego. Os raspões no fundo foram substituídos por pancadas fortes contra as partes mais habitadas por parasitas. Já estava me habituando a essas contínuas agitações noturnas até que, num sábado de madrugada, se cometeram alguns abusos.

Sonhava como um anjo. Estava no rádio falando com a calma e sorridente Fernanda, que, pela primeira vez aflita, me contava que durante a noite o Beto e o Tulum haviam passado de barco por mim e, enquanto eu dormia, levaram todos os mantimentos da proa! Acordei furioso e, no escuro, bati a cabeça no teto. Não. Não era o teto, mas a caixa do rádio. O barco havia se inclinado com um monumental choque no fundo que me acordou. Certamente no leme. E, ao sentir novamente um raspão embaixo da cama, tive a certeza de que não estava mais sonhando. Assustado e com a cabeça doendo da pancada, acendi a luz e encontrei uma formidável desordem. A caixa de fitas abriu-se e tudo que estava dentro terminou esparramado. Havia ferramentas soltas por todo lado. Minha escova de dentes enfiara-se atrás da bateria. Alguns foguetes rolavam pelo fundo.

Morrendo de sono e ainda pensando no sonho e nos mantimentos, extraí-me do saco de dormir e tratei de pôr as coisas no lugar. Mas foi ao olhar para o fundo da cabine que me dei conta da violência do choque. O leme era comandado, internamente, por uma haste de inox ligada a um sistema de cabos e roldanas que na realidade pouco foi utilizado, pois o eixo estava tão justo que eu só conseguia acioná-lo com as duas mãos diretamente pela haste, fazendo grande força para movê-la alguns centímetros apenas.

Encontrei a haste encostada no final do seu curso, os dois cabos de comando arrancados das roldanas e o *Almanaque Náutico* (uma publicação com quase trezentas páginas) amassado entre a haste e a parede como se fosse uma sanfona. Santo leme! Se o golpe tivesse sido em outro lugar, não sei se o casco resistiria.

Depois desse incidente uma água misteriosa surgiu dentro da cabine e perseguiu minha tranquilidade sem descanso, até que descobri, muitos dias mais tarde, que com o impacto uma das conexões dos tanques de lastro se soltara.

Em 24 de agosto, a situação tornou-se insustentável. Dez horas de trabalho por dia, e continuava me arrastando. Precisava a qualquer custo sair do buraco em que me encontrava e recuperar o ritmo que mantinha antes. Precisava, sobretudo, encontrar uma saída para o problema da limpeza do fundo.

Ao lavar a tampa plástica do recipiente Tupperware de um litro, onde media o consumo diário de água doce, percebi que o seu fundo, com uma aba arredondada, não riscava a tinta verde do casco. Usando uma lâmina de barbear, recortei a borda do plástico de modo a formar uma superfície cortante e, aproveitando a presença festiva dos dourados, entrei na água. Foi a invenção do século! A borda afiada da tampinha plástica soltava os crustáceos, sem remover a tinta, com espantosa facilidade. Um verdadeiro massacre para as colônias de "lepas" que viajavam de graça. Em menos de uma hora o fundo ficou limpo como nunca estivera antes! Explodindo de alegria, voltei ao barco e devorei uma lata de leite condensado, que não fazia parte do cardápio, acompanhada de café e chocolate em barra misturados.

Em plena meridiana, empunhando o sextante na expectativa de finalmente calcular uma latitude mais ao sul e concentrado entre o sol e o horizonte para conseguir uma observação precisa, ouvi, bem atrás, um borrifo de água. Impressão? Não! Eram baleias a uns cem metros de distância. Por um instante, tirei os olhos do sextante e pude vê-las nitidamente nas águas transparentes. Não afloraram. Eram quatro, e duas se aproximaram. O pequeno baleote passou debaixo dos remos que descansavam na água, tocando-os levemente. A mãe, imensa, tinha perto de catorze metros e manteve-se a distância, rodeando o filhote.

Desesperado entre a dúvida de apanhar a máquina fotográfica, que estava dentro, ou continuar com o sextante e conseguir a latitude, fiquei imóvel até registrar a altura máxima do sol. Que hora para visitas!, pensei. Tanta vontade eu tinha de observá-las, e justo no dia mais tenso das últimas semanas, precisamente nos únicos segundos do dia em que não podia tirar os olhos do horizonte, elas aparecem!

Ao entrar para anotar a altura no caderninho preto, uma sombra escura apareceu ao lado e, tranquila, aflorou tão perto e tão impressionante que não pude me mover. De emoção. De beleza. De mágica força. Desfilando seu corpo cinzento cheio de manchas e marcas, e um olhar caído e sonolento, ao alcance de um braço, percebi que o ponto branco refletido em seu olho era o casco do meu barco, a "lâmpada flutuante" onde eu vivia.

Numa comunhão de curiosidade e respeito trocamos olhares

e ela afundou novamente. Madrijo e baleote partiram sem dar adeus, mas deixaram bons fluidos no livro de navegação. Nessa sexta-feira, septuagésimo quinto dia de navegação, atingi a posição mais ao norte de toda a viagem, 10°44' de latitude sul, ao mesmo tempo em que cruzava o meridiano 20° Oeste, a principal linha que dividia a minha carta. Saí da zona meteorológica de Ascensão para entrar na zona meteorológica norte-oceânica, já de responsabilidade do Brasil, para a qual poderia utilizar as cartas-piloto editadas pela DHN, no Rio de Janeiro. Pequenos detalhes me aproximavam de casa.

Como se acabasse de atravessar a vertente de uma cadeia de montanhas, as coisas mudaram de rumo. Pela primeira vez baixava para o sul. Finalmente limpo, o barco voava e os remos não pesavam mais. Os problemas desapareceram, e eu me surpreendi numa animação como havia muito tempo não me encontrava.

O vento rondou para és-sueste, facilitando-me muito a vida. Recuperei meu prestígio fazendo quarenta milhas em 24 horas. Na segunda-feira, 27 de agosto, dia mais frio do ano no Rio de Janeiro, ouvi pelo rádio a história do engenheiro Marcos que, tendo caído de um veleiro a vinte milhas da costa, milagrosamente sobreviveu nadando uma noite inteira até alcançar a costa mais próxima, junto às ilhas Maricás.

A bordo, a temperatura era amena e a vida voltava ao normal. A "águia negra", minha simpática guardiã dos ares, retornou após dois dias de ausência e novamente voltou aos seus afazeres. Todas as tardes ela aparecia e, delicada, só se afastava para, numa manobra precisa, abocanhar um peixe-voador mais graúdo em pleno voo. Pela manhã desaparecia, distante em seus passeios. Finalmente eu descia a montanha e a cada milha feita para o sul mais força encontrava para continuar remando. A dúvida quanto ao destino persistia. Salvador ou não? Mas não me incomodava. Eu sentia que em breve tomaria a decisão. Navegar é um ato de paciência, e existem decisões que só devem ser tomadas na hora certa.

Trabalhava preocupado em melhorar pouco a pouco, dia a dia. Atento a tudo, mas tranquilo. Estava feliz no meu barquinho, flutuando nas ondas do Atlântico, dividindo a curiosidade pelo universo com o olhar da "águia", pontualmente todas as tardes.

Perdido em divagações metafísicas, delirando ante a força do espaço infinito? Nunca! Penso que jamais estive tão próximo da realidade, tão envolvido com o dia a dia. Grandes problemas? Havia alguns, sim, mas não eram tão grandes. Tubarões, tempestades e a solidão tornavam-se menos importantes do que o barulho da caixa de ferramentas balançando e que não me deixava dormir, ou o desaparecimento momentâneo do meu canivetinho, companheiro de tantas aventuras.

A imensidão do mar tornava minúsculos os meus maiores problemas e gigantes as menores alegrias. Ensinou-me a dar valor à vida que eu levava e a pequenas coisas que às vezes passavam despercebidas.

Nada no mundo era mais gostoso do que terminar o jantar e pular para a cama. Nada fazia mais falta do que um travesseiro comum. Nada era mais útil do que uma tempestade favorável ou mais tranquilizador do que o fim de uma calmaria.

E então pude constatar como tão poucas coisas eram suficientes para viver em paz e bem.

A descoberta de um bilhetinho da Flora, escondido entre os mantimentos, o salvamento de um peixe-voador desacordado no *cockpit* e tantos outros pequenos acontecimentos foram motivos de grande alegria — tornando-se por isso importantes.

Ao se caminhar para um objetivo, sobretudo um grande e distante objetivo, as menores coisas se tornam fundamentais. Uma hora perdida é uma hora perdida, e quando não se tem um rumo definido é muito fácil perder horas, dias ou anos, sem dar conta disso. O mínimo progresso que conseguisse fazer num dia em direção ao Brasil era importante, ainda que fosse de centímetros apenas. Com o tempo, eu acumularia todos os progressos e os centímetros se transformariam em quilômetros. Senti que estava cumprindo uma obra de paciência e disciplina. E percebi como é simples conseguir isso. Nada de sacrifícios extremos ou esforços impossíveis. Nada de grandes sofrimentos. Ao contrário, bastava apenas o simples, minúsculo e indolor esforço de decidir. E ir em frente. Então tudo se tornava mais fácil. Os problemas encontravam solução. "Decidir sem medo de errar", escrevi à página 84 do diário e apontei na direção de Salvador. Estava decidido e certo.

Trinta de agosto. Embora não fosse sábado, o calor do final de tarde me inspirou a fazer a barba, que já resistia há algum tempo. As roupas secavam na antena. Os remos estavam prontos para ir dormir. Mas, ao recolher o que ainda estava solto sobre o barco, um susto! "Navio! Navio!", berrei.

Quase caí na água. Um enorme navio cinzento cruzava minha proa a menos de meia milha de distância no rumo verdadeiro de 310°.

No fundo, eram os navios o que eu mais temia no mar. Estava cansado de ouvir casos de veleiros que desapareceram após colidir com navios. Umas dessas histórias ouvi de um tripulante contando que, ao atracar num porto europeu, encontraram na proa, presos na âncora de bombordo, destroços de um mastro e pedaços de vela. Nunca se soube quando aconteceu o desastre e nem qual seria o pobre veleiro.

Os navios são cegos no mar, e quem navega sozinho deve assumir por sua conta e risco esse fato. Especialmente durante o dia. À noite, as luzes de um pequeno barco são visíveis a uma razoável distância, e nesse caso o vigia pode tomar alguma atitude. Se houver vigia. Mas quando o mar se apresenta levemente formado e sobretudo à luz do dia, um barco pequeno só é visível nos poucos segundos em que não está escondido entre duas ondas, o que representa menos de 20% do tempo. Isso se naquele exato instante houver alguém olhando precisamente na mesma direção. Soma-se ainda o problema do reflexo dos raios na água, o que inutiliza metade do campo visual de um navio quando o sol está baixo, e o dos dias de vento mais forte, quando os carneirinhos, deixados pelas ondas que arrebentam, se confundem com qualquer embarcação. Quanto mais perto se está do nível do mar, pior o problema, pois, em decorrência da curvatura da Terra, o horizonte se torna próximo e um enorme navio pode surgir da invisibilidade absoluta, até o nariz da vítima, em rápidos minutos.

A única solução é manter uma vigília permanente e nunca esperar que um monstro de aço saia da frente primeiro. Na prática, isso é impossível para um solitário, e o jeito é dormir em intervalos regulares tanto menores quanto mais próximo se estiver de rotas conhecidas de navegação. Existem também alguns recursos técnicos para evitar colisões no mar: os refletores-radar e o detector de radares. A utilidade de ambos, em rotas transoceânicas, é muito relativa. Para auxílio e localização de um barco são muito interessantes, mas nem tanto para evitar acidentes, pois, na prática, raras vezes os navios acionam o radar em alto-mar.

Inanimado, o navio seguia em frente enquanto eu berrava de alegria. A distância não permitia distinguir pessoas, mas ao menos sabia que, pela primeira vez em mais de oitenta dias, havia gente nas proximidades, gente trabalhando, comendo em mesas, conversando, ali à minha frente, dentro do vulto de aço que soltava fumaça pela chaminé. Que saudades, meu Deus! Chamei pelo VHF, no canal 16: "Grande navio cinza. Grande navio cinza. Grande navio cinza. Aqui embarcação *IAT* chamando. Responda. Câmbio".

E que surpresa ao ouvir a resposta num inglês bem napolitano: "Prossiga *IAT*. Aqui é o *Mount Cabrite*. Câmbio".

Era um cargueiro de bandeira liberiana e tripulação italiana que seguia para os Estados Unidos. A comunicação de VHF é de curto alcance, e portanto eles imaginavam que deveriam avistar outro barco próximo, um veleiro talvez. Mas não conseguiram. Sem trair a emoção que eu sentia, pedi uma confirmação de posição para checar a precisão dos meus cálculos. E o diálogo que se seguiu foi um pouco lacônico:

"Não o avistamos. Você perdeu o mastro?", perguntou o operador.

"Não tenho mastro!", respondi.

"Você está com pane nas máquinas?"

"Não tenho máquinas. Estou remando!"

Houve silêncio no rádio.

"Há outros sobreviventes?", voltou ele novamente.

"Não! Não!", respondi. "Sou o único tripulante a bordo. Vou para Salvador. Está tudo bem. Por favor, confirme e comunique minha posição ao Concontramar no Rio de Janeiro."

"Morreram todos os outros?"

"Não, não. Eu parti só, da África, de Lüderitz."

Novo silêncio. O oficial de rádio custou a acreditar e, enquanto pedia a posição à ponte de comando, não escondeu que duvidava do que ouvia.

Duas rotas importantes de navegação eu já havia cruzado: Cabo-Gibraltar e Cabo-Nova York, ambas antes de avistar Santa Helena. Agora, cruzando uma terceira rota, a Cabo-Colón (canal do Panamá), de novo, por uma semana talvez, eu implantaria o programa de alarmes no despertador, de hora em hora, para evitar surpresas noturnas.

O grande problema de ser acordado durante a noite não era necessariamente ter que levantar mas, sim, ter que sair do saco de dormir para ir olhar o horizonte. Inventei, então, um revolucionário método para me locomover com o saco e tudo, e aos poucos o despertador deixou de ser um inimigo e se transformou num esporte noturno. Acordava, abria a portinhola, olhava em volta e me atirava na cama como se fosse o paraíso.

As noites passavam tranquilas. E, desde a abençoada descoberta da tampinha plástica, nunca mais tive problemas com os tubarões e suas desordens noturnas. As barbatanas rondando a minha tranquilidade desapareceram para sempre, e os sustos que passei por sua causa saindo da água às pressas, avisado pelos dourados — segurando-me contra o teto com a respiração presa enquanto golpeavam o fundo, ou sentindo com as mãos apoiadas contra o casco a vibração de sua pele áspera —, faziam definitivamente parte do passado.

Mas, encerrando o conturbado mês de agosto, ainda uma vez eu seria surpreendido por um incrível exemplar desses vorazes peixes.

Era uma madrugada escura de tempo encoberto, sem traço de estrelas ou luar. Estava remando desde cedo, procurando bem à popa o clarão por onde deveria nascer o sol. Preocupado em não perder o rumo e feliz porque a lanterninha de magneto voltara a funcionar e, assim, não precisava deixar a luz da bússola acesa, subia e descia ao sabor de ondas totalmente invisíveis que surgiam no escuro. O tempo não andava muito católico e eu aguardava ansioso as primeiras luzes do amanhecer para ter uma noção de como seria o dia. O mar poderia, às vezes por algum tempo, parecer o mesmo, mas o céu, nunca. Cada amanhecer e cada pôr do sol, por mais que o tempo fosse estável, eram sempre uma nova surpresa. Os primeiros sinais do dia que estava para nascer revelaram sombras escuras no horizonte. Não havia céu. Nuvens grossas corriam com o vento forte, baixas, não deixando espaço para o sol sair. Sem deixar os remos, eu olhava as nuvens tentando descobrir uma saída para o sol. E entre elas surgiu um vazio alongado por onde escapou a primeira luz do dia.

Aos poucos o escuro foi se diluindo em direção ao nascente e os encontros desse vazio tomaram uma forma achatada e definida que acompanhou as nuvens. A luz vermelha do dia entrou por ali, deixando claramente definido o formato de um tubarão. Incrível! Não tirava os olhos da estranha formação: um tubarão vazado no céu. Um perfeito tubarão! Uma pequena nuvem invadiu o vazio formando um olho. Outra desfiou-se mais embaixo. Era a boca. Barbatanas, cauda, proporções perfeitas. Não podia acreditar.

Tudo em movimento. O vento carregando as nuvens. Não parei de remar; continuei olhando... O tubarão permanecia inteiro. Levemente passando do vermelho para o amarelo, os seus traços pouco a pouco se tornaram indefinidos, vagos, mantendo uma figura perfeita que parecia envelhecer. Não podia parar. A pequena nuvem que fazia o olho derreteu-se e escorreu como uma lágrima arrancada pelo vento. E, por dentro do tubarão, o dia nasceu. No diário deixei escrito: "E o tubarão amarelo envelheceu e morreu chorando".

De tantos que eu vira até então, o que mais me marcou foi o último, o maior de todos, o mais real e impressionante: o "tubarão amarelo". Um tubarão imaginário no céu.

14. A CRECHE DAS BALEIAS

DESLIGUEI O DESPERTADOR TATEANDO NO ESCURO, cego de sono. Mas um estranho barulho continuou. Um chiado forte como se fossem galhos de árvores arrastados na estrada. Fui percorrendo com os dedos o interior da cabine até encontrar a lâmpada do teto. Acendi, e pela janelinha gotinhas de brilho escorriam.

Chovia grosso, e pela primeira vez ouvia o som dos pingos que batiam forte sobre o convés, continuamente. Delicioso barulho numa madrugada de domingo, quando se está morto de sono e sem a menor disposição de trabalhar. Não, nada de trabalho. Abri o cardápio do dia, belisquei algumas comidas do café e, tonto de alegria, voltei para a cama (sem dúvida, a mais confortável, deliciosa e desejada cama de todo o Atlântico) e continuei dormindo ao som da chuva até o nascer do dia.

Setembro começou com temporais e mar agitado, que me faziam lembrar a paisagem dos negros dias passados na corrente de Benguela. Minha nossa! Há quanto tempo! Desde a partida, meses haviam se passado. Uma eternidade!

Ainda deitado quando os primeiros raios de luz entraram pela janela, desfrutando ao máximo tão raros momentos de ócio, preguiçosamente me pus a observar o interior de minha "residência". A escova de dentes presa na alça do rádio, os parafusos fixos no teto, os livros enfiados no fundo, o compasso e a carta do Atlântico apoiados na parede. Que fim teriam esses objetos que me fizeram companhia por tanto tempo? Quem leria o meu diário, que já tinha 85 páginas preenchidas, uma para cada dia, se eu perdesse o juízo? Ou se algo grave acontecesse e fôssemos todos parar no fundo, cinco quilômetros abaixo? É estranho e engraçado sentir-se responsável por meros objetos. E, em voz alta, disse:

"Comportem-se ou não chegaremos. Todos vocês dependem de mim."

Mais que objetos, tudo aquilo era o trabalho de muitos anos, o esforço de muitas pessoas, e ainda que não passassem de objetos me faziam companhia. Cada peça, risco ou parafuso tinha uma posição certa, uma função precisa. Cada milímetro que me cercava tinha sido exaustivamente pensado, planejado e preparado para ali estar. Havia uma razão, uma ordem e um sentido em toda aquela bagunça. Os detalhes de madeira trabalhada e esculpida em delicados desenhos pelo sr. Dias, do estaleiro no Rio — que faziam a minha "residência" tão aconchegante —, eram perfeitamente dispensáveis aos olhos de um técnico, mas ele sempre me dizia: "Amyr, madeira é vida, descansa os olhos e envolve o espírito. Você vai ver!".

Como ele tinha razão.

As invenções, ideias, fiações e centenas de parafusos que o Ferreira instalou em todos os cantos, como se fosse para um filho seu; o recado do Tymur escrito a lápis no teto: "Juízo, Amyr, e boa viagem", e tantas outras coisas para as quais eu olhava naquele instante me faziam sentir a presença de todas as pessoas que haviam estado nesta cabine.

Com o sol bem adulto a chuva parou, e encontrei ânimo para enfrentar os remos. Ao redor, vento forte e céu cinzento. Vales e colinas de mar escondiam o horizonte. O *swell* retornara, mas não havia o que temer. As ondas eram distantes umas das outras, e descendo-as em surfadas espetaculares já me sentia mestre nesse esporte de beira de praia. Só faltava a praia, que a cada onda ficava mais próxima.

Mas, qual praia? Com o mar assim, o rendimento prometia melhorar muito, e navegar em rumo preciso passou a ser fundamental para que conseguisse acertar Salvador. Determinei três pontos objetivos em pleno oceano, que deveria alcançar nos dias seguintes, de modo a aferir a precisão da minha pontaria em navegação. O principal deles era o ponto que chamei de "B-l" na passagem do meridiano 30°, e que me propus atingir no máximo até o dia 9 de setembro, quando completaria a décima terceira semana de viagem.

Em 5 de setembro o mar continuava forte, mas inofensivo. Captei durante um dos intervalos de trabalho uma nova estação no meu radinho, a Rádio Nacional da Amazônia, exatamente no Dia da Amazônia. Foi uma sorte. Fiz uma pausa para me aliar às comemorações e, atento, fiquei ouvindo um programa dirigido aos trabalhadores dessa continental região, em especial aos garimpeiros de serra Pelada. Anúncios de material para garimpo, cartas pedindo informações sobre familiares afastados pela "febre do ouro", noivos desaparecidos, histórias de fortuna e cotidianos de ilusão. Estava em plena "selva amazônica", vivendo os problemas de suas gigantescas e áridas cidades. Não resisti e, remando entre as ondas altas, consumi a tarde desse dia num inflamado discurso sobre o "radinho de pilha" e sua importância num país tão grande como o Brasil.

Falava-se então sobre o congresso de radioemissoras a ser realizado na Bahia, e cuja maior preocupação era o futuro do rádio diante do aumento de estações de FM e do avanço da televisão. Durante um bom tempo da viagem acompanhei uma programação da RFI (Radio France Internationale) que me impressionou pela dinâmica e estilo de comunicação. Havia programas de circo, espetáculos de mágica, viagens pela Sibéria, pelos *canyons* americanos ou pelas catacumbas de Paris. E um incrível programa de reportagens sobre o mar. Tudo pelo rádio. Na verdade, a falta de imagens no radinho de pilha é uma fantástica vantagem, pois uma linguagem criativa transporta o ouvinte para os mais impossíveis lugares e situações.

Voltei de serra Pelada com uma fome sem limites e, após seis horas ininterruptas de atividades e falatórios, tratei de cuidar do jantar. Apanhei a colher grande (que pouco usava) e, como um doido varrido, comecei a bater infernalmente na tampinha da panelinha:

Maria sororoca, rebenta pipoca.
Maria sororoca, rebenta pipoca.
Maria...

Pena não ter trazido o milho de pipoca, porque eu gostava muito de fazê-las estourarem com essa musiquinha. Enquanto esperava, comportadamente, que a panelinha atingisse pressão, passei cem litros de água doce para o tanque de popa. Duzentas bombadas, alguns movimentos nos registros das válvulas, e o barco parecia outro. O peso mais à proa fazia com que, mesmo à deriva, continuasse descendo as ondas sem o uso da âncora de mar, há muito encostada na "bodega 5".

Seis de setembro. O rendimento continuava melhorando, apesar do mar. A postos, às 5:30 GMT, ainda escuro, sem sinal de estrelas ou de luar, as ondas pareciam explosões de luz. Havia forte ardentia. Obrigado a acender a luz da bússola para não me atrapalhar com o rumo e dar o través para as ondas, não percebi uma sucessão de três "madrastas" que se aproximavam. Passei pela primeira meio assustado, mas a segunda, um pouco adiantado, desci em grande estilo, equilibrando-me com os remos, delirando com a velocidade. Aos poucos aumentando o rugido, a onda começou a arrebentar. A espuma invadiu o barco todo e encheu o *cockpit* de água. Eu estava nadando na ardentia, dentro do meu próprio barco semissubmerso numa luz esverdeada tão intensa que fazia sombra nas reentrâncias da cabine, onde tentava me segurar para não sair boiando em pleno Atlântico. Antes de conseguir voltar ao assento, enquanto a água escorria por todos os lados, a terceira "madrasta" levantou-se enfurecida. Agarrei-me na borda sem pensar nos remos que estavam, não sei onde, pendurados pelas cordinhas de segurança. Em uma das mãos segurava a preciosa almofadinha, que milagrosamente não se perdera na inundação. Subimos alto, muito alto, mas a onda se foi, deixando nas suas costas estrias fosforescentes que se apagaram na madrugada.

Retomei o fôlego, tentando sentar-me no posto de trabalho, totalmente cheio de água. Os cabelos escorriam. A almofadinha estava salva. Os remos, bastava pescá-los. Comecei a rir. Nadando num espetáculo de som e luz — quem poderia imaginar o que eu fazia ali àquela hora da manhã? Nunca me passara pela cabeça uma situação mais emocionante nem mais assustadora. O melhor de tudo foi que, embora estivesse alagada por completo, a "lâmpada" continuou indiferente ao mar, correndo estável, sem se incomodar com as ondas de luz que batiam nela. Percebi, passando o susto, que eu não vestia o cinto de segurança. Estava preocupado com os remos e as coisas soltas, e me esquecera do cinto. Descuido grave que prometi não mais repetir. Mais um dia nasceu.

Às 13:59 GMT, na passagem meridiana, consegui uma nova posição. Uma surpreendente posição. Eu havia cruzado o meridiano 30° Oeste e passado o ponto "B-1" três dias antes do previsto e com um erro de apenas quatro milhas. Melhor ainda, nos dois últimos dias eu batera todos os recordes de rendimento até então, com uma média de sessenta milhas por dia. Nunca mais igualaria essa marca.

Como tudo tem seu preço, as aventuras da madrugada me custaram um doloroso e incômodo golpe nas costelas e uma unha levantada no pé direito. A dor nas costelas era suportável, mas, com a unha levantada, tornou-se impossível calçar o tênis e, sem tênis, era impraticável qualquer tentativa de ficar em pé no barco. Como fazer? O Édison, médico e iluminado companheiro de regatas de oceano no *Savage*, me passara algumas instruções sobre remoção de unhas com anestesia que estavam gravadas numa fita de procedimentos médicos. Apanhei a solução de xilocaína, a seringa e coloquei a fita milagrosa no gravador. Quando ouvi as palavras "introduza a agulha até as proximidades do osso" desisti da anestesia e de todos os procedimentos e, com um heroico golpe, arranquei a pobre unha, que não ofereceu a menor resistência. Toda aquela expectativa não foi suficiente nem para um mísero "ai".

Durante a noite um peixe-voador grande, um dos raros sobreviventes adultos entre os tantos milhares de pequenos que vagam pelo Atlântico, caiu no poço do finca-pé e ficou fazendo um desesperado barulho. Tentei pegá-lo no escuro algumas vezes, mas ele estava tão escorregadio e aflito, e eu tão cansado e sonolento, que desisti de salvá-lo. Pela manhã, ao encontrá-lo desfalecido, senti um grande remorso. Era a manhã de 7 de setembro, uma sexta-feira, feriado nacional. "Viva a Independência!", berrei ao sair.

Faltavam 285 milhas para a costa, e 450 para o meu destino: Salvador. O Brasil continuava se aproximando.

Pelo rádio ouvia D. Zora com o meu horóscopo: "O mar não está para peixe...".

No domingo, enfim, dispensei o cinto de segurança. As altas ondas desapareceram, e a minha gaivota negra também. Sem um pingo de vento, ela tinha dificuldade em permanecer parada no ar planando, e já deveria estar batendo asas bem longe dali. Os dourados, pela primeira vez, não estavam por perto. Nem mesmo o fiel Alcebíades. Estranho silêncio, depois de dias tão barulhentos. O mar totalmente liso, sem um movimento sequer. A cada remada, deixava para trás um par de pequenos redemoinhos na água. O que acontecia? Sinais de mudança de ventos? De mau tempo? O barômetro estava firme, e nada mudou. A inédita e total ausência das gaivotas e dos dourados me incomodava. Percebi como era importante a companhia deles, e confesso que senti sua falta. Fazia um calor tremendo, e a água azul-transparente estava provocantemente convidativa. Vesti a máscara e mergulhei. O fundo continuava limpo, como da última vez. Ao redor, debaixo da superfície espelhada do mar, nenhum sinal de peixes.

Atravessei esse domingo quente e tranquilo como se fosse uma lagoa estagnada. Em silêncio, sem discursos. Sem abrir a boca. Pensativo. Suando de calor.

Segunda-feira, 10 de setembro. O calor piorou bastante. Terceiro mês da partida de Lüderitz. Puxa vida, três meses! Quanto tempo teria ainda pela frente, era difícil dizer. Duas semanas, talvez mais. Tudo dependia do mar e do vento. O rendimento voltara ao normal: 33 milhas por dia. Terminaria o inverno ainda navegando no dia 22? Já estaria em terra no meu aniversário, no dia 25? Muitas dúvidas me atacavam. Fui à despensa, retirei mais oito cardápios e deixei-os na cabine. E olhando o último deles, por acaso o de número 100, fiquei pensando no dia em que ele seria aberto. Provavelmente já estaria muito próximo do fim. A partir desse dia eu deveria inaugurar um novo livro de diário, pois o meu só tinha cem páginas. Todas essas contagens eram uma forma de medir a distância e o tempo que me separavam do Brasil. A numeração de cardápios, as páginas do diário, as cápsulas de gás do fogareiro, os radiocontatos que ainda faltavam, os fins de semana, as dobras na carta, tudo era pretexto para tentar enxergar o tempo. Num canto da carta náutica eu desenhara um quadro com todos os dias do mês de setembro, talvez o último. Estava iniciada a contagem regressiva. A cada amanhecer um novo quadrado era riscado com enormes esperanças de não ter que inaugurar um novo mês no mar.

A bandeira do Brasil, na antena de VHF, era a única coisa a bordo que mostrava as marcas do tempo. Estava num estado de lastimável integridade física. Totalmente desfiada, rasgada e desbotada depois de menos de dois meses içada. O losango amarelo desapareceu por completo, arrancado pelo vento. Os fabricantes de bandeiras poderiam caprichar um pouco mais nas costuras do símbolo nacional. Antes do pôr do sol substituí a velha companheira por outra, novinha em folha, que trazia guardada junto com as roupas secas. Que diferença! Parecia um barco no dia de lançamento.

Terça-feira, 11 de setembro. O consumo de água começou a preocupar.

Com o calor, e sem vento, no dia anterior cinco litros foram gastos, quando na média não consumia mais que dois. Passei a tomar soro e Dextrosol diluído em água para evitar uma possível desidratação e para não perder sais transpirando exageradamente. À tarde estava combinado um importante comunicado no rádio. Um novo radioamador participava da roda com quem eu falava todas as semanas. Era o Cardoso, comandante do navio *Karisma*. Um verdadeiro personagem. Todas as vezes que encerrava o QSO, me mandava um beijo na testa. O *Karisma* voltava da África, com destino ao Rio de Janeiro, e nós tentaríamos fazer um encontro em pleno oceano.

Um encontro desse tipo já havia sido previsto no final de agosto com o *Felipe Camarão*. Mas, devido a uma alteração de rota do navio, acabou cancelado. O Ayres me contaria depois que uma enorme caixa estava a bordo, especialmente preparada com notícias, encomendas, brincadeiras e presentes de um monte de amigos, e um calção sobressalente enviado pela formidável Sibylle, que soube do acidente com meu único calção e no mínimo imaginava que eu remava nu. Essa caixa ainda faria duas viagens ao Mediterrâneo antes de ser finalmente desembarcada e aberta em São Paulo.

O navio do Cardoso estava a aproximadamente 280 milhas ao norte da minha posição, e o encontro deveria se dar na tarde seguinte. Era preciso determinar a hora e o ponto exatos em que as nossas rotas se cruzariam, considerando a posição, a diferença de velocidades e a ação da corrente. Operação não muito simples. Era difícil estimar quantas milhas eu faria nas próximas 24 horas, e além disso eram necessários cálculos de navegação absolutamente precisos para que não nos desencontrássemos. A margem de erro tolerável em navegação astronômica é de cinco milhas (muitas vezes passa disso), e a essa distância eu já me tornava invisível. O navio seguia a uma velocidade próxima de doze nós (enquanto a minha era apenas de dois) e não teria tempo para fazer desvios ou dar voltas me procurando. O horário calculado para o encontro era 13:00 GMT do dia seguinte, 12 de setembro.

Quase não dormi, pensando na possibilidade de encontrar amigos, após tanto tempo, mas também preocupado em ser eventualmente atropelado por esses mesmos amigos durante a noite. Uma hora antes do horário combinado, comecei a chamar em VHF pelo *Karisma*. Continuamente, sem resposta. Às 13:00, ouvi um ruído no rádio: eram eles. Pouco depois, o sinal ficou nítido, mas em seguida voltou a enfraquecer. Estavam à minha procura, mas em que direção? Em que ponto do imenso horizonte? Quando, por fim, consegui a posição com a passagem meridiana, às 14:13, entendi por que não apareceram: eu me adiantara quase dez milhas em relação à posição de encontro estimada na véspera, e eles, seguindo em rumo perpendicular, já estavam bem para trás. Não voltamos mais a nos comunicar. Teria sido muito bom ver pessoas, conhecer a fisionomia do alegre Cardoso e sua tripulação, ouvir vozes ao vivo. Mas, melhor ainda, foi constatar que, no fundo, eu não necessitava de nada e que, à medida que nos afastávamos em rumos distantes, o meu nervosismo desaparecia. Estava bem, na mais completa paz, e assim continuaria enquanto o horizonte fosse largo e desimpedido. Encontros em alto-mar são difíceis e altamente perigosos para parceiros de pequenas proporções. Ao lado de um aparente inofensivo paredão de aço, subindo e descendo entre as ondas na tentativa de uma inocente aproximação, muitos barquinhos afoitos terminaram seus dias.

Passado o episódio do *Karisma*, voltei à carta do Atlântico para terminar de plotar a posição e, brincando com o compasso, medindo as distâncias, subitamente o coração disparou: estava em águas brasileiras, a menos de duzentas milhas da costa! A palavra chegar, tão vaga e distante no tempo, tomou formas concretas. Dias de tensão se anunciavam.

Treze de setembro. Berrei para o vento: "É imperativo descer mais". Aracaju estava muito mais próximo, mas Salvador era decididamente o meu destino. Cinquenta e quatro milhas a mais, quase dois dias de viagem, mas eu não desistiria. Não agora.

À medida que me aproximava diminuía a tranquilidade a bordo. Passei para a carta de número 60, do Recife a Belmonte, de escala maior, e onde havia muito mais espaço para o traçado das posições. Uma carta brasileira, pela qual eu já havia navegado antes. O mar amanheceu estranho, e o vento, embora tranquilo, começou a me preocupar, mudando constantemente de direção. Os dourados estavam de volta, porém, inquietos e dispersos, não me seguiam mais lado a lado. Eram quase cinquenta, dos quais, além do Alcebíades, não consegui reconhecer mais do que três ou quatro dos velhos. Algo me dizia que eles se preparavam para partir em definitivo, pressentindo a proximidade da costa.

Ondas altas demais para o pouco vento, eu remava com alguma dificuldade, pensando no grande dia em que avistasse a costa. Seria mesmo verdade que eu estava tão próximo, que talvez nem mesmo uma semana me separasse de uma vida que se tornara tão diferente e distante do meu eterno dia a dia no mar? Descendo uma onda, subindo outra, pensando distraído, um golfinho surgiu pelo lado, gordo e bem desenvolvido. Um golfinho boa-vida, pensei. Mas os dourados, que tanto temiam os golfinhos, estranhamente não fugiram. Olhei bem e cocei a cabeça. Não tinha bico. Logo surgiram outros, e vi que não eram golfinhos mas filhotes de baleia. Que vergonhoso engano para um navegador! Eram lindos e brincavam livres ao redor do barco, dando voltas, correndo as ondas por cima. Ficavam às vezes mais altos que a minha cabeça e eu podia vê-los por baixo. Contei sete ao todo. Mas o que fariam tão indefesos baleotes, órfãos de pai e mãe, em pleno oceano? Decidi apanhar a máquina, que estava dentro no fundo da cabine, e, ao me levantar para abrir a portinhola, em pé, do alto de uma onda uma cena impressionante me surpreendeu: baleias por todos os lados formavam um imenso círculo. Eram talvez dezesseis ou dezessete visíveis e muitas outras cujas sombras transparentes fechavam o cerco todo. Eu estava bem no centro de uma "creche de baleias", desavisadamente brincando com seus abrigados. Sentei-me de novo, sem fazer barulho e, cuidadoso, procurei sair da "creche" sem despertar a ira dos enormes pais. O círculo era tão perfeito que elas caminhavam junto com os filhotes, sempre mantendo-os no centro. Ao me afastar, uma baleia quase parada, meio inclinada, amamentava o filhote, balançando suave com as ondas. Como vim parar ali, não sabia. Mas a verdade é que jamais um ser humano poderia ter sido mais feliz entre tão desproporcionais e dóceis mamíferos. Enquanto lentamente ladeava a mãe, a página de um velho livro me veio à cabeça. Trata-se de um dos mais esplêndidos trabalhos sobre a arte naval brasileira (aliás, até hoje único): *Ensaio sobre as construções navaes indígenas do Brasil*, escrito por Antônio Alves Câmara e publicado em 1888, que folheei pela primeira vez no Saco do Céu, na ilha Grande, durante uma das viagens com a *Rosa*.

À página 161 dessa obra pode ler-se o seguinte trecho de uma descrição de caça feita ao largo das costas baianas — exatamente as costas por onde eu navegava, notáveis pela aproximação de baleias nessa época do ano —, obra-prima que há quase um século denunciava a monstruosa insensatez do homem:

> Torna-se mais notável ainda a prova de intelligencia e amor nessa raça, dada neste caso, que descrevemos, e mais commovente, no do madrijo com o filho.
>
> O balêato é trazido pela mãe nas costas de um lado, ou na frente impellido por ella. Nessas condições é elle o primeiro que bufa, lançando ao ar uma pequena coluna de agua em fórma de vapor condensado; em seguida dá o signal de sua presença o madrijo com uma columna muito mais forte, e depois o caxarréo, que poucas vezes acompanha a balêa com filho.
>
> É então o momento em que os pescadores sentem o ardor da

lucta, e a cúbica dos lucros, e investem sobre o pobre animalsinho, e o arpoam procurando logar, que não seja mortal. Logo que o madrijo reconhece o filho preso e ferido, atira-se pelo mar a fóra espadanando n'agua, bufando, e levantando grande massa d'agua nessa carreira vertiginosa e medonha, após o que volta ainda mais ligeiro a encontrar o filho que acarecia e suspende procurando soltar. Se por acaso fica entre o balêato e a baleeira, esta guina para fóra, e desvia-se delle soltando o cabo; porque se a ferisse, ou ao filho nessa occasião, ella despedaçaria a baleeira. Sentindo improficuo o seu esforço retira-se bruscamente, e outra vez volta a farejar o seu querido filho. Se desta vez colloca-se por fóra delle, ficando assim o balêato entre o madrijo e a baleeira, lanceam-a e sangram; mas ella apezar da dôr nada faz á lancha; porque qualquer pancada com a cauda que désse, maltrataria o seu filho. Foge e não repelle a aggressão; mas pouco depois volta, e recebe repetidas lanceadas. Cançando-se nesse movimento, esgotando as forças também pela grande quantidade de sangue, que derrama o seu corpo, continua sempre junto a elle apezar de tudo até sua morte, ou morte delle, que os baleeiros evitam de dar para não perdel-a. Quando veem então que ella está muito enfraquecida, ou que bufa sangue, arpoam-a, e matam.

O negror de uma grande, possivelmente um macho, aproximou-se para uma volta de reconhecimento. Prendi a respiração e não parei de remar. Sem aflorar e sem tampouco me tocar, voltou aos arredores da "creche". Continuei me afastando devagar, olhando ao longe, cada vez que uma onda me erguia, a comunidade de cetáceos que, em paz, ficava para trás. Talvez estivesse passando pelos minutos mais maravilhosos de toda a minha vida. Mas, engraçado, não pulava nem cantava, não conseguia respirar, dizer uma palavra. Soltei os remos. Os dedos tremiam.

15. A PRAIA DA ESPERA

Poucos dias me separavam da terra firme. Alguns centímetros apenas faltavam para que a desajeitada cobrinha de pontos que eu traçara, paciente, ao longo de 96 dias, tocasse o outro lado da surrada carta do Atlântico Sul. Os centímetros mais importantes. A calculadora voltou a trabalhar desesperadamente. Retomei as observações, refiz ansioso todos os cálculos e constatei que mais um dos pontos-objetivo anotados na carta havia sido atingido. Na mosca. Baixara bem em latitude, e em longitude cruzara por fim o meridiano de Recife: 35° Oeste! Sim, senhor, havia terra exatamente ao norte! Terra brasileira. A distância diminuía, irreversível.

Os cuidados com a navegação foram redobrados, os intervalos de descanso encurtados, e o ritmo de trabalho aumentou. A corrente do Brasil, que me ajudara a baixar as posições, em breve se tornaria um obstáculo, pois teria que atravessá-la. Oeste verdadeiro seria o meu rumo a partir de agora. Nem subir nem baixar.

O vento, estranhamente ainda fraco após mais de cinco dias, rondou para nordeste, e caso viesse a aumentar complicaria a minha situação. Andava tenso e, a cada posição, mais tenso ficava. A ideia de avistar terra não me saía mais da cabeça. Não me deixava mais dormir. Era fundamental que a aproximação fosse feita com bom tempo, durante o dia, e de modo preciso, pois as referências que eu tinha da costa eram apenas as do *Pilot Book* inglês. As cartas de detalhe e aproximação de Salvador haviam sido vitimadas pela "água misteriosa" que por algum tempo andou incólume a bordo.

Durante o intervalo de almoço, pela milésima vez eu perdi o canivetinho com o qual abria todas as embalagens aluminizadas dos alimentos. Procurando por todos os cantos, encontrei-o finalmente caído atrás do suporte do rádio principal. Um cantinho que há muito tempo não era visitado. Achei ali algumas coisas interessantes: moedas da África do Sul, alguns cruzeiros e um estranho e embolorado caderninho verde: um talão de cheques. Meu Deus! Como foi parar logo ali um talão de cheques? Junto havia uma carta. Uma carta da qual eu era mero portador e que fora motivo de longas discussões na África.

Um dia surgiu em Lüderitz um simpático repórter com a especial missão de pedir que eu levasse para o Brasil uma mensagem lacrada num envelope solenemente endereçado, em letras góticas, a "Abraham Lincoln".

"Não!", eu disse educadamente. "Não, não e não! Lamento profundamente, mas eu não pretendo entregar carta nenhuma a espíritos reencarnados ou quem quer que seja. Perdoe-me, mas acho que pelo correio será mais seguro e rápido."

Greham Brown era o seu nome, e jurou-me de pés juntos que não se tratava de uma história inventada ou de alguma reencarnação do velho presidente americano, e que a carta lhe fora confiada por um casal de verdade e era importante que eu a levasse. Tentei diversas vezes fugir da estranha incumbência, mas terminei, afinal, meio a contragosto, enfiando a carta naquele cantinho. Depois desse dia, esqueci-me por completo da operação "correio póstumo", e a carta continuou em seu lugar. Eu jamais poderia imaginar então que, algum tempo depois, o caso seria solucionado de maneira tão simples. Conversando por acaso com um aluno da Escola de Engenharia Naval da USP, que já estivera na África, lembrei-me da carta e comentei sobre a minha intenção de desviá-la para o lixo. Para meu espanto, descobri que seu nome era Abraham Lincoln Rosemberg, o próprio destinatário.

Distraído, recolocando a carta e perdidos papéis na caixa de rádio, enquanto fazia a digestão, ouvi um estrondo. Nossa mãe! Uma explosão no mar! Saí. A uns trezentos metros de distância, nas águas azuis e tranquilas, um círculo branco de espuma. Era só o que faltava, pensei. Escapar de tubarões e baleias, de tempestades e navios míopes, e vir parar exatamente numa zona de exercício militar! Sem parar de olhar para cima, procurando o infeliz que deveria estar soltando bombas, apanhei o VHF portátil, que estava junto da portinhola, e comecei a transmitir pelo canal de emergência um pedido de clemência. E antes que soltasse o microfone, esperando resposta, vi a uns cem metros a mais impressionante demonstração de força física que um magro ser humano poderia imaginar: uma gorda e poderosa baleia surgiu da água, subindo como um foguete. O seu corpo saiu para fora até quase a ponta da cauda e, contorcendo-se no ar, com algumas dezenas de toneladas, caiu exatamente de costas, com suas imensas estrias peitorais para cima, provocando nova e estupenda explosão.

Momentos depois, o barco todo balançava levemente sob o efeito das ondas que, em círculo, se abriam. Uma força monumental cujo impacto se propagou pela superfície quase lisa daquela tarde. Sentei no meu barquinho meio sem graça, segurando o transmissor e tentando adivinhar de que lado do imenso mar ela surgiria de novo.

As baleias têm esse hábito, que eu desconhecia, de subir à tona em grande velocidade e cair propositadamente de costas sobre o mar, provocando impressionantes estrondos. Dizem que tanto pode ser uma forma de comunicação entre cetáceos como um eficiente método de remover parasitas que se alojam em seu dorso.

Quinze de setembro. Sábado de rádio. Calmaria total. Um silêncio ameaçador invadiu o Atlântico. Só havia o sol, ainda baixo, como testemunha do calor que eu sentia. Um litro de suco de limão desapareceu logo no café. Aproveitei a falta de ondas para corrigir o rumo, remando corrente acima. Às 7:30 GMT, surpresa! Bem à minha proa um navio, muito longe, mas visivelmente indo para o sul. Chamei pelo rádio, mas não tive resposta. Quinze minutos depois, outro navio, à mesma distância, e seguindo a mesma rota. Novamente sem resposta, continuei remando. Que trânsito! Talvez devesse ter insistido no rádio, talvez fosse melhor assim. Estava há 97 dias sem ver um rosto humano e poderia levar um susto! Ou, quem sabe, provocar um susto! Fui à cata do deformado espelhinho metálico e constatei que minha fisionomia não era das mais convidativas. Menos de meia hora depois, um novo navio, dessa vez subindo e a uma distância de mais ou menos duas milhas. Chamei pelo rádio em inglês. Sem resposta. Insisti, em português e... milagre! Respondeu um operador frio e de pouca conversa: "O que deseja, *IAT*?".

Pedi uma confirmação de posição e ele me mandou uma, francamente duvidosa: 12°56' de latitude sul e 36°20' de longitude oeste. Pelos meus cálculos, eu deveria estar, na pior das hipóteses, em 12°48' Sul, ou seja, oito milhas para cima. Não era possível que tivesse descido tanto durante a noite. Não quis insistir com o oficial de rádio, que parecia não se interessar muito por problemas de navegação. O navio era brasileiro, se chamava *Almaris* e continuou sua rota para Baltimore, sem que ninguém a bordo me avistasse.

Percebi que o operador com quem falava duvidava que eu não fosse um pesqueiro, e encerramos o comunicado.

Eu atravessava a rota Recife-Abrolhos, bastante movimentada, e, por via das dúvidas, deixei o rádio do lado de fora, para qualquer eventualidade.

Doze e trinta, hora do almoço. Larguei os remos sem me preocupar em tirá-los da água. Mar de almirante, uma verdadeira lagoa de azeite! No cardápio: salada de feijão branco, carne, arroz e purê.

Quando me levantei com a panela para apanhar uma medida de água mais um navio apareceu no horizonte. Outra vez distante. Perdi o ânimo de tentar um contato, mas precisava ter certeza sobre a posição que o *Almaris* me mandara. Enquanto a panela estava no fogo, chamei diversas vezes. Sem resposta, tentei em inglês, em francês, até em "esperanto" (língua que estudávamos secretamente para confeccionar "colas" universais nos tempos de colégio). Nada de resposta!

O almoço foi servido no convés, pois dentro o calor era insuportável. Tranquilamente comendo, eu olhava aquele vulto cinza que seguia imperturbável para o sul, e de repente, com a boca cheia, dei um berro e quase engasguei. A proa! Ele estava guinando a proa na minha direção! Não podia acreditar! Agarrei uma toalha e comecei a agitar. "Eles me viram! Eles me viram!", berrava.

Pelo rádio, ouvi, no mais límpido português:

"Aqui é o *Patrícia Ramos* na escuta. Estamos nos aproximando. Está tudo bem a bordo? Prossiga."

"Tudo perfeito, 100% ótimo! Por favor, não se aproxime em cima de mim. Deixe-me por bombordo. Tudo em ordem. Esplêndido dia... Tudo muito bem por aqui!", respondi quase gaguejando.

Lembrei-me das colisões com o *Storm Vogel*, na saída de Lüderitz, mas com um mar assim calmo não haveria riscos.

Febrilmente comecei a arrumar o barco. Joguei panela e pratos para dentro, endireitei a bandeira do Brasil, guardei as camisetas que secavam, removi rapidamente o sal acumulado sobre o painel solar — a barba! Não havia tempo para a barba. E então amarrei os tênis, cujas cordinhas há dias estavam soltas. Arrumei o cabelo. Meu Deus, que expectativa! O navio continuou se aproximando, em marcha lenta, por bombordo. Segurando o rádio com a mão esquerda, eu falava com a ponte. Passaram-me uma posição que coincidia com a minha. Aos poucos o nome pintado em letras negras tornou-se legível. Já podia ouvir o barulho das máquinas. Coloquei os remos em posição de descanso e esperei em pé. O coração batia na garganta.

Era lindo o *Patrícia Ramos*. A cinquenta metros apenas, reduziu ainda mais as máquinas e começou uma manobra à minha volta. Toda a tripulação estava no convés. No tijupá, junto à ponte de comando, todos na borda, imóveis. Ao centro, um homem forte, careca, com a camiseta enrolada no pescoço — provavelmente o comandante —, levantou os dois braços com as mãos juntas. Acenei e imediatamente toda a tripulação respondeu com os braços levantados.

Não havia o que falar. Simplesmente olhava aqueles homens todos que acenavam. Todos sorriam. O homem forte sem camisa continuou com as mãos juntas para cima. O *Patrícia Ramos* completou a volta e, após um longo apito, um apito que me entrou fundo pelos ouvidos e que nunca mais esquecerei, desapareceu no horizonte, rumo a Paranaguá e Itajaí.

Nada no mundo poderia ter sido mais emocionante do que esse súbito encontro a noventa milhas de Salvador. Eufórico, ataquei os remos com a firme disposição de não perder nem mais um minuto, e só parei um pouco antes do QSO.

Ao ligar o rádio, o mundo desabou sobre a ilha de tranquilidade onde eu vivia. Os radioamadores estavam elétricos. Todos falando ao mesmo tempo, muitas pessoas em cada estação. Queriam, a partir daquele contato, que eu entrasse no rádio diariamente e pelo menos quatro vezes por dia. Alguns amigos se preparavam para ir a Salvador, e insistiam em saber a data da chegada. Expliquei que eu não pretendia voltar a falar antes do próximo contato, combinado, como de costume, para terça-feira às 13:30, hora do Brasil (16:30 GMT), porque seguramente até lá ainda não teria alcançado a costa. O pouco vento que havia não se fixara em uma direção definida, e a corrente do Brasil já não era mais favorável; pelo contrário, me empurrava para o sul. O Alex queria a distância da costa; o Álvaro, o ponto exato de chegada. Secretamente, sem dizer nada a ninguém, decidi aproar na direção do farol de Garcia d'Ávila — trinta milhas ao norte de Salvador —, o único cujas coordenadas precisas tinha em meu poder. Havia ainda três opções: o farol de Itapoã, o farol da Barra — velho conhecido — e o farol do morro de São Paulo, a mesma distância ao sul de Salvador.

Pedi a confirmação para esses três, de seus dados na lista de faróis, pois a minha havia naufragado embaixo da cama, também na "água misteriosa". Quando o Henrique, um radioamador de Salvador, me passou os dados, percebi que uma turma se preparava para tentar me sobrevoar. Não me agradou nem um pouco a ideia. Tudo o que eu queria no mundo era chegar inteiro, fundear em segurança e deitar embaixo de uma árvore em paz e sossego. Antes disso não estava disposto a nenhuma comemoração.

A viagem não havia terminado; ao contrário, a parte mais complicada e perigosa estava pela frente: a costa baiana. Sabia que não seria fácil encontrar passagem segura pelos recifes que a cercam, caso o vento virasse. E a calmaria já durava demais.

O barômetro, nas últimas 24 horas, apresentava uma ligeira e inquietante queda, o que coincidia com as previsões que eu captara: de ressaca e mar agitado em toda a orla.

O Álvaro insistiu para que eu voltasse ao ar pelo menos no domingo. Acabei concordando. A seu lado estava a Jurema — uma repórter de TV — que três meses antes me deixara roxo de raiva, duvidando que eu tocasse a Bahia antes de quatro meses. Reconheci a sua voz, e ela levou um susto. Ao pressionar o interruptor do rádio, a paz voltou a reinar no Atlântico. Que alívio! Consegui anestesiar o ninho de vespas.

Num sábado à tarde, nada como jantar de roupa limpa e cara lavada. Coloquei um pouco de água doce para esquentar, apanhei o barbeador, e... Pam!... Pam!... Pam!... Marteladas no fundo, possivelmente sobre a chapa de cobre do plano terra. Pus a mão na cabeça e tentei pensar. Não. Eu ainda não estava louco. Mas quem poderia estar martelando o meu barco debaixo da água num inocente sábado? Devagar, e preparado para uma surpresa, saí. Não havia nada ao redor. Peixes, baleias ou o que fosse. Muito menos trabalhadores. Pam!... Pam!... O barulho continuou. Não me contive. Com o rosto cheio de espuma de barbear, vesti a máscara, me apoiei na borda e mergulhei a cabeça. Uma tartaruga! Uma velha tartaruga tão cheia de cracas que parecia um rochedo ambulante. Nem se importou com a minha presença e continuou batendo. Tomei ar e mergulhei outra vez. Era tão mansa e distraída que pensei mesmo em aplicar-lhe sobre o casco a minha tecnologia de combate ao limo. Um pouco caduca, veio mordiscar meus dedos e deixou que eu a empurrasse pelo casco sem a mínima cerimônia. Vinha acompanhada de um cortejo particular de uns dez pequenos pilotos e, quando partiu, fez ainda uma volta completa e desapareceu com seus listrados seguidores. Comigo continuavam os dois últimos e fiéis pilotos, um pouco mais gordinhos que os da calma visitante. Dos dourados, nenhum sinal. Nenhuma notícia. Partiram para sempre.

Mas as visitas não terminaram. À noite, uma baleia. Mais uma. Mas, dessa vez, nervosa e mal-humorada, esbanjava em violência o que suas antecessoras mostraram em delicadeza. Transformou-me em seu brinquedo, mas não no seu predileto. Os golpes eram fortes. Eu não sabia o que fazer. Desesperado, comecei a bombear, com força, ar na tubulação de saída dos lastros. Talvez as bolhas a espantassem. Nada. Pus o som no volume máximo. Não, melhor não irritá-la. Minha Nossa Senhora, tão perto do fim! Tudo ia tão bem! Não podia ficar imóvel, esperando o golpe final. Passei a mão na lanterna, que até então não usara, fechei todos os respiros e a escotilha, e rápido como um raio saí e tranquei a portinhola. Se ela me emborcasse, não poderia haver uma única entrada aberta, pois, com o mar liso e sem ondas, levaria algum tempo até endireitar o barco.

Noite clara, não havia fosforescência e não podia vê-la na água escura. Mas uma leve ondulação, na superfície que espelhava as estrelas, foi o sinal. De joelhos, tremendo sem parar, uma mão firme na borda, com a outra acendi e apontei o potente facho para o fundo. A luz atravessou a água cristalina e vi seu corpo passando por baixo, a uns três metros no máximo. Não. Não era o corpo mas a longa cabeça cheia de manchas. E no mesmo instante ela mergulhou. Ai, ai, ai! Exatamente embaixo... e sumiu em direção ao fundo.

Lembrei-me das explosões na véspera, das páginas de *Moby Dick* e de tantas histórias trágicas. Agora era a minha vez.

Que tremenda asneira! Que colossal burrada! Por que provocá-la com a luz? Por quê? Tarde demais para arrependimentos. Eu não me entregaria nem que ela me picasse em pedacinhos. Nunca! Em hipótese alguma deixaria de pôr os olhos em um coqueiro, mesmo que para isso tivesse que continuar nadando até o Brasil. O bote! O bote inflável! Abri a despensa, agarrei-o como se fosse a vida e não parei de soprar até que ficasse totalmente cheio. Tonto e sem fôlego, sentei abraçado ao meu passaporte para a salvação, ao lado da sacolinha de sobrevivência, esperando o ataque... e assim caí em sono profundo.

Pela manhã, desinflando o pequeno bote percebi que havia me excedido um pouco. Quase entrei em pânico por causa de uma situação que na verdade não era nova. A distância que diminuía se transformava em nervosismo, em ansiedade.

O vento rondou para o nor-nordeste e a minha posição tornava-se delicada se ainda pretendesse alcançar o farol de Garcia d'Ávila. Remando com o vento lateral e contra a corrente, todo o esforço desse domingo não produziu mais do que 28 milhas. O décimo quarto domingo e, certamente, o último. O que estaria fazendo no próximo fim de semana? Estaria comemorando uma perfeita chegada, ou teria me esborrachado nos intermináveis recifes? Amarrei as antenas, liguei o rádio conforme combinamos na véspera e, sem muita conversa, respondi às três costumeiras perguntas do Alex: estado geral, posição e distância da costa. Entrou na frequência o PY7 HW, José Luís, móvel marítimo a bordo do *Patrícia Ramos*, e contou que quando nos cruzamos estava dormindo, pois fazia o quarto noturno. A previsão do tempo me anunciava um vento exatamente contrário ao que soprava, e a possibilidade de ressacas e mar forte mais uma vez se confirmou.

Voei aos remos com a proa voltada, tudo o que podia, para o norte, atropelando as pequenas ondas que se formavam. Não consegui comer. A mesma inquietação que me assaltara na saída, milênios atrás, me tomava agora que o horizonte estava condenado a ser interrompido.

Por mais que tentasse, e sabendo que precisava descansar, não pude dormir. No meio da noite soltei a âncora de mar para evitar que o vento me jogasse ao sul, e, ao prepará-la, encontrei bem no fundo da "bodega 5" a velha âncora de ferro — uma Danforth de dez quilos — que deveria ter sido jogada fora assim que estivesse livre da África. Foi uma sábia decisão não o ter feito.

A profundidade estava ainda em 3500 metros e de nada serviria a pesada âncora; mas eu dependeria dela para evitar um naufrágio caso me metesse de mau jeito diante de algum ponto difícil da costa. Preparei e desembolei no escuro todos os cabos de que dispunha, uns 180 metros, e, com todo carinho, deixei a âncora a postos. Ela teria a honra de ser a primeira a tocar o solo.

Amanheceu a segunda-feira e, para minha completa euforia, o mar continuava manso. Ainda uma chance. Entrei nos remos com os dentes apertados. Força total!

"Duzentos e cinquenta metros finais!... Muito bem, guarnição!... Nãããããão esmoreçam!... Firme na pegada!... É a hora da verdade! Levantem a cabeça!... Tudo na água!", gritava o nosso técnico de remo, o sr. Arlindo, ao final de uma prova de 2 mil metros.

E por mortos que estivéssemos, cegos de exaustão, era sempre nos últimos 250 metros, na "virada final", que o "oito" mais andava.

Começa a minha "virada final". Não havia um segundo a perder e, enquanto o tempo continuasse firme, era preciso avançar rápido. Cada vez mais. Parando dez minutos em cada hora para tomar água, renunciei a almoço e jantar mantendo o mesmo ritmo. A única interrupção foi para os cálculos de posição. Cada vez mais precisos. Cada vez mais próximo. Estava a 56 milhas do farol! Um barulho estranho surgiu ao sul, nas nuvens. A grande distância, um pequeno avião seguia rumo à África. Meia hora mais tarde, passava ao norte, rumo ao Brasil. "Desistiram", pensei. É muito longe a África!

O VHF estava ao alcance da mão. Sabia que estavam à minha procura, mas não quis chamá-los.

Meia-noite. Tentei ir dormir. Duas horas da manhã, um clarão entrou pela janela. Levantei assustado. O que seria? Não foi preciso sair para descobrir. Se não era uma árvore de Natal iluminada bem à minha frente, tudo indicava que fosse uma plataforma de petróleo, precisamente na direção em que o vento me jogava. Pelo menos acordei a tempo. Desamarrei os remos com o firme propósito de contorná-la e voltar a dormir até que o despertador permitisse.

Sonolento e cansado, percebi que o vento entortava de uma vez e achei por bem passar pelo norte. Marquei a proa no rumo 310° e comecei a remar. Quinze minutos depois virei a cabeça — e que surpresa! A plataforma continuava exatamente à proa. As luzes cresciam de tamanho. Impossível! Melhor lavar o rosto. Consertei a proa para 345°. Mais dez minutos, e de novo a miserável estava em frente, e já bem próxima. Eu não havia batido a cabeça em nenhum lugar e a bússola ainda não apresentava sinais de demência, como explicar?

Intrigado com aquela fantástica estrutura de aço iluminada que inexplicavelmente não saía da minha frente, descobri a seu lado uma suspeita luzinha verde — luz de boreste — de algum barco. A plataforma estava sendo rebocada, com todas as luzes acesas. Um breve desvio para o sul, e escapei a tempo. Que susto! Dormir outra vez? Impossível! O pouco sono que me sobrou foi carregado pelo festival de luzes que acabava de passar. Em pouco tempo, as luzes foram diminuindo até sumir no horizonte, e tudo voltou ao mais perfeito escuro. E uma fome crônica me atacou. Era a madrugada do centésimo dia no mar. E o pacote correspondente, o de número cem, foi aberto.

Remexendo entre os componentes das refeições que estavam na embalagem de alumínio, à procura das torradas, encontrei um pequeno envelope com um bilhete das meninas — por certo algum recadinho escrito havia pelo menos seis meses.

Ninguém sabia, então, quantos dias duraria a viagem, e a Flora — que já estava adiantada no programa — me deu um *ultimatum*: ela precisava de um número estimado de dias previstos e eu sabia que, se errasse esse número, ou morreria de fome, ou afundaria o barco de tanta carga. Nos meus intermináveis estudos sobre correntes e deriva oceânica cheguei a uma previsão bastante realista: 109 dias. Estimativas mais pessimistas, porém prudentes, da Marinha, falavam em 120 dias, e alguns amigos mais esforçados e otimistas calcularam que fosse possível concluir a travessia em 88 dias. E foi assim que se definiu um número de 150 cardápios.

Ao abrir o envelope tive uma alegre surpresa. Cuidadosamente dobrado em seu interior estava um pequeno pôster. Uma verde paisagem de montanhas com matas e pinheiros. No canto, em cima da foto, uma mensagem: "Com Beijos da Flora, Mada, Marisa, Neusa, Renata, Sílvia e Lúcia — Feliz terra à vista!!!". Deixei-o apoiado contra a parede, no cantinho de navegação, para enfeitar os meus cálculos, do mesmo modo que fizera com os outros bilhetes, e pensei: Puxa vida! Poderia muito bem ser verdade!

Mas eu sabia que a distância que faltava, sem a ajuda da corrente, e ainda por cima discutindo com o vento indeciso, dificilmente poderia ser coberta em menos de dois dias. Terminei o café, preparei os remos e ajustei a almofadinha sobre o assento, mecanicamente, como sempre fazia, e sem tirar os olhos da bússola voltei à minha nobre atividade. Um golfinho exibicionista passou saltando ao lado e logo em seguida um monte deles. Tentei enxergar no escuro as suas brincadeiras e, ao virar a cabeça... um susto! Parei de remar, e, me apoiando levemente na antena, levantei-me.

Era quase impossível acreditar, mas não havia mais dúvidas. Bem à minha proa, ainda fraco e difuso, subia um clarão além do horizonte. O clarão dos arredores de Salvador. Emudeci. Os remos soltos balançavam nas pequenas vagas. O vento fraco agitava preguiçosamente a bandeirinha. Nenhum ruído. Por alguns segundos permaneci assim, paralisado por um halo mágico e verdadeiro que me anestesiou os sentimentos, os sentidos, o pensamento.

O cansaço desapareceu, e uma serena força me pôs a trabalhar. Não sentia o barco, de tão leve, e não parei mais de remar. As meninas, sem saber, acertaram.

A madrugada desapareceu com a luz do centésimo dia sem que eu tivesse soltado por um minuto sequer os remos e sem que uma só vez voltasse a olhar na direção em que seguia. Avançava de costas e, à medida que o sol desprendia do horizonte, aumentava o ritmo. Assim continuei, sem me virar, sem tentar ver o que me aguardava a oeste, até que, alto e livre das nuvens que o cobriam, o sol me obrigou a fechar os olhos. E só então olhei na direção da proa.

Eu sempre, desde garoto, me perguntava qual seria o melhor dia da vida, sem nunca ter encontrado resposta. Sempre havia um novo dia para me confundir. Durante a conturbada preparação da viagem, por mais de dois anos, cheguei à conclusão de que o meu melhor dia seria aquele em que, finalmente livre de problemas e dos céticos, colocaria o barquinho na água em direção ao Brasil. Brilhante engano. Decididamente, o dia da partida foi o mais caótico e desastrado de toda a minha existência. Passado algum tempo, e ainda apavorado com a possibilidade de ser atirado à Costa dos Esqueletos, tive certeza de que o grande dia seria aquele em que tivesse cruzado a metade do Atlântico e então estaria com o caminho garantido até o Brasil. Pois aquele foi um dia exatamente igual a tantos outros, com cotidianos problemas para resolver, algumas dúvidas e pequenas alegrias. Ficou evidente então que o dia, o maior de todos os dias, seria aquele em que por fim avistasse terra firme. Não foi bem assim.

Não dei pinotes de alegria, não berrei como um louco até pôr fora as cordas vocais. Não explodi em pedaços de emoção, como imaginava que faria. Simplesmente engoli em seco. Lá estava ela, bem à minha frente: a costa baiana.

Poucas vezes na vida estive tão tenso. Subiu-me à cabeça o peso de toda a responsabilidade que eu teria nas mãos nas próximas horas. Um erro, um pequeno erro de aproximação e poria tudo a perder: anos de estudo, o trabalho de tanta gente, uma linda viagem. Seria totalmente ridículo atravessar o Atlântico para acabar náufrago, nos recifes, à beira da praia. Mas era perfeitamente possível.

Impressionado diante da rapidez com que a costa se aproximava, o que se explica pela total ausência de grandes elevações junto ao mar, em pouco tempo consegui identificar uma torre contrastando com uma faixa verde, provavelmente coqueiros.

A torre poderia ser aquela descrita no livro inglês, ou quem sabe o próprio farol de Garcia d'Ávila. A marcação por gônio não fornecia um ângulo favorável para identificá-la e a frequência de lampejos do farol, caso fosse ele, não é visível de dia. Precisava ter certeza da latitude, e isso só conseguiria mais tarde, no momento da passagem meridiana do sol. Eram nove horas da manhã de 18 de setembro de 1984. Uma decisiva terça-feira.

A velha frase "Navegar é preciso, viver não é preciso", eu a vejo, do mar, com olhos diferentes do que em terra. Navegar, eu entendo, é a arte da precisão, e viver é, antes de mais nada, fundamental. O navegador não vaga a esmo, mas se prende a tudo que é possível, para tornar preciso o seu caminho. A exata posição dos astros no universo, no preciso segundo de cada minuto, em cada hora, o vento, o sol, sinais de todos os tipos, dados de todos os acidentes, registros de todas as forças e movimentos. E na arte de navegar nada exige maior precisão do que aportar, com segurança e onde se quer.

Estava distante ainda, mas a cada segundo mais compenetrado em não errar, em decidir com calma e segurança. Não. Não bastaria chegar pura e simplesmente. Eu queria aportar, num ponto preciso, e soltar a minha âncora num portinho abrigado onde houvesse outros barcos descansando. Mais que isso, eu desejava saltar em terra. Não em cimento ou num pontão qualquer, mas em terra, mais precisamente, na areia, com os pés descalços... E dizer adeus àqueles tênis que não me largavam.

Pensando nisso, não parava de remar. Não conseguia parar. Não tinha forças para isso; os minutos consumiam as horas. Cada vez mais perto.

Os contornos da costa tornavam-se nítidos. Remando e olhando. Remando e olhando.

Estava cansado de ouvir falar de malucos que concluíram longas travessias, esborrachados em costões inóspitos, sem saber onde estavam, sem fisicamente e por conta própria tocarem o chão. Eu tinha um plano: alcançar o farol..., e um sonho: pisar na areia. E, agora, por nada neste mundo desistiria de assim chegar.

Meio-dia, hora do Brasil. Não era mais possível calcular a posição pelo sol. Não havia mais horizonte livre ao norte e sim a ponta do Açu da Torre: em cima, imponente, o Garcia d'Ávila.

O suor escorria pela testa e entrava nos olhos. Mal podia enxergar. Amarrei a camiseta no ombro direito para enxugar o rosto sem soltar dos punhos, e ao olhar para o relógio me lembrei que teria às 13:30 o radiocontato habitual. Seria o meu quadragésimo comunicado, e até então, salvo o primeiro que não houve, eu nunca falhara e, britanicamente, nunca atrasara um só minuto, entrando sempre nos dias combinados, na hora exata. Era impossível parar agora, e se me atrasasse um pouco os radioamadores perceberiam que algo de errado se passava. Precisava a qualquer custo "baixar o ferro" antes do QSO, ou eles perceberiam minha chegada antes do previsto.

Doze e vinte. Algumas velas apareceram mas logo em seguida sumiram. Minhas pernas e braços trabalhavam como máquinas. As velas eram pequenos saveiros que momentaneamente baixam o pano para recolher as redes. Havia muitas redes em volta. Nas pontas, pequenas boias brancas com bandeirinhas vermelhas de marcação.

Doze e trinta e cinco. Alguns telhados já eram visíveis. E a espuma da arrebentação sobre os recifes também. O coração batia desesperado, a tensão era enorme. Logo estaria em cima deles. E, de repente... o barco ficou preso! Como? Não é possível! Não saía do lugar! Equilibrando-me sobre o convés, fui gatinhando até a proa ver o que se passava: o leme estava enroscado numa rede de pesca. Deitado, tentei libertá-lo com o braço, mas não o alcancei. Apanhei, então, a bicheira que estava presa com os remos de reserva e soltei a rede. Eu havia tocado o Brasil! A rede estava ancorada.

Voltei ao trabalho mais nervoso ainda. Ao longe já se ouvia o barulho da arrebentação nos recifes. Por onde haveria uma passagem, se é que havia alguma?

Um estranho tuc-tuc... tuc-tuc-tuc... tuc... tuc... surgiu por trás. Infalível barulho que eu conhecia muito bem. Um antigo e persistente motor diesel de um cilindro, o mesmo que eu tinha na *Rosa*, se aproximava. Era um sofrido e minúsculo saveirinho com dois pescadores em cima e mais limo no casco do que uma plataforma submarina. Tonho das Neves e Tonho de Oliveira eram seus nomes. Chegaram perto, a uns quinze metros. O primeiro, segurando-se no toco que restara de um outrora mastro, e me olhando com um ar curioso e alegre, enquanto o segundo, enfurnado no motor fumacento, controlava a marcha lenta, berrou com força:

"Como foi a pescaria?"

"Não estou pescando!", respondi, admirado com as rodelas de fumaça que subiam inteiras.

"De onde vem vindo, então?", insistiu.

"Venho da África!", exclamei.

"E onde fica essa praia?"

Expliquei que era mais ou menos longe dali. O homem sorriu sem entender, com todos os dentes à mostra, e após me orientar sobre como encontrar a passagem nos recifes pediu-me:

"Avisa o Doró que a gente só volta na sexta!"

E eu parti na mais importante missão da minha vida: após cem dias completos, sem falar com alguém cara a cara, subitamente estava incumbido de levar um recado, em pessoa, para outro pescador que tampouco conhecia.

A maré estava enchendo, e eu deveria tomar todo cuidado. O pescoço me doía de tanto remar com a cabeça virada, à procura da dita entrada. Vi algumas pessoas ao longe, na praia, um pouco ao sul, e rumei para ali. Grave erro. Já ouvindo o barulho das ondas, que por trás pareciam muito menores do que de fato eram, fui levantado por uma delas e levado em velocidade de encontro às pedras. Não havia mais tempo para retornar. No meio das ondas e sobre perigosas pontas de recife procurei rápido uma mancha clara por onde pudesse passar, fazendo os remos envergarem de tanta força, e me preparei para atravessar com a onda seguinte. Duas testemunhas na praia acompanhavam à distância a mirabolante encrenca em que me metera. O barco levantou, partiu outra vez em velocidade e, após um levíssimo toque no pobre leme, entrou nas águas abrigadas, do lado de dentro dos recifes. Soltei a respiração, aliviado.

Eram exatamente 13:10, mas o porto onde estavam os outros barcos, na barra do rio Pojuca, ficava quinhentos metros ao norte, na direção do farol, e era ali, somente ali, que eu fundearia. Vinte minutos faltavam para a hora do comunicado. Correndo contra o relógio e desviando das pontas de recife, subi o canal, arrancando gemidos das forquetas, sem tirar os olhos do relógio.

Às 13:19 alcancei o remanso da barra onde estavam sete barquinhos. Larguei os remos, voei para a âncora, encurtei o cabo e lancei-a em fundo de areia, a vinte metros da praia.

O relógio marcava 13:20. A antena! A antena ainda não estava armada. Puxei-a rápido de seu canto, sob o colchão, e às 13:25, com os dedos nervosos, prendi o último tirante.

Às 13:27 acabei de amarrar os remos.

Às 13:28 liguei o rádio. Faltava a bobina! Saí com a bobina de vinte metros nos dentes, atarraxei-a como um mágico, pulei para dentro e, pontualmente às 13:30, entrei na frequência — sem ao menos ter tido tempo de olhar para os coqueiros!

O Álvaro, o Mário, o Luciano, o Ronaldo, o Gerd e tantos outros amigos estavam atentos na escuta, esperando notícias e uma previsão de quando eu chegaria. Foi o Alex que me "pescou" na frequência, e do mesmo modo, como sempre fez ao longo de cem dias, com a voz pausada e o seu arrastado sotaque húngaro, começou:

"PY2 KAQ móvel marítimo de PY2 PA: Boa tarde, Amyr, espero que tudo esteja em ordem. Responda, por favor: primeiro, estado geral; segundo, posição; e terceiro, distância da costa. Adiante, Amyr".

E, do mesmo modo como eu sempre respondi todo esse tempo, falei, tentando controlar a respiração ainda ofegante:
"Ok, Alex, 100% copiado. Estado geral perfeito. Sem problemas. Infelizmente não posso calcular a posição...", ele ficava nervoso, pois a falta de posição era sinal de mau tempo e mar duro, "porque estou cercado de coqueiros e... acabo de chegar...".
O Alex engasgou pela primeira vez, e o Álvaro, emocionado, não conseguiu dizer uma só palavra. Explodiu no rádio uma invasão de vozes, prefixos e nomes de radioamadores de todos os cantos do planeta que — eu não sabia — acompanharam atenta e silenciosamente todos os meus passos, dia a dia, numa longa vigília que acabava de terminar...

Tanta gente falando, cumprimentando, agradecendo e eu não pude transmitir a posição e o local de chegada — que ninguém sabia ainda. Desliguei tudo. Tirei os sapatos e, ao sair, dei de cara com um pescador e seu barquinho, ao lado, observando. Simples e atencioso, o homem me perguntou:

"Como foi a pescaria, moço?"

"Não. Eu não pesquei nada não, meu senhor!", respondi.

E ele, lamentando ouvir aquilo, disse:

"Pois é, moço. A vida tem dessas coisas: nuns dias se consegue tudo, noutros dias não se pega nada. É como a maré: vai, mas sempre volta."

E, na sua simplicidade, afastou-se remando seu barquinho até a areia em frente.

As folhas dos coqueiros balançavam ao vento, produzindo um som delicioso de se ouvir. Sentei-me na borda do barco, molhando os pés na água. Estava a metros apenas da praia, e olhando as raras marcas de passos na areia não tive a menor vontade de descer e andar. Fiquei assim numa profunda calma por um bom tempo, balançando os pés na água.

Eu estava bem. Nunca estivera tão bem em minha vida. Não precisava de nada, absolutamente nada, para me sentir bem. O barco estava perfeito. Limpo. Pela primeira vez em ordem. As baterias a plena carga. A âncora firme na areia, segurando a "lâmpada". Não faltava nada.

Pensando bem, que mais poderia alguém no mundo desejar do que olhar nos olhos das baleias, conversar com as gaivotas sobre os azimutes da vida, procurando durante cem dias e cem noites um único objetivo e, subitamente, tê-lo diante dos olhos, ao alcance dos pés, numa tranquila tarde de terça-feira?

O homem apareceu na praia novamente, arrastou seu barco até a água, veio em minha direção, e disse:

"Olhe, moço, não tem outro peixe, mas é o que tenho para o seu almoço!"

E me fez presente de duas sardinhas. Agradeci. Seu nome era Dorinho e tinha uma minúscula construção à beira da praia, ao lado de um coqueiro, onde se lia: *Butéco do Doró*. Era o Doró para quem eu tinha a missão de dar o recado. Falante e sorridente, disse-me que eu fizera muito bem de parar ali, ainda que não pescasse muito.

"Este é o único porto 'certo' de toda a região, moço!"

E explicou que, quando havia "viração" de tempo ruim e todas as outras barras se fechavam, era naquela praia que as mulheres dos pescadores vinham esperá-los. E, por isso, se chamava Praia da Espera. O mais lindo nome de praia que eu já ouvi.

Na quietude daquela noite, a última, ancorado no infinito sossego da Praia da Espera, sonhando com os olhos abertos e ouvindo outros barcos que também dormiam, descobri que a maior felicidade que existe é a silenciosa certeza de que vale a pena viver.

E dormi. A "lâmpada" ficou acesa.

GLOSSÁRIO DE TERMOS NÁUTICOS

ALIDADE Dispositivo magnético usado para medir ângulos entre pontos no horizonte, ou marcar rumos em graus. Eventualmente pode ser usado como bússola auxiliar.

ALÍSIOS Ventos contínuos e regulares que sopram em direção ao equador, de nordeste (no hemisfério norte); ou de sudeste (no hemisfério sul), muito importantes para a navegação a vela.

ÂNCORA DE MAR Balde de lona ou bolsa com fundo vazado, de diversos formatos, utilizado em caso de mau tempo para diminuir a deriva, ou para manter uma marcação orientada para o vento. Também chamada *biruta*.

ARDENTIA Fosforescência marítima visível em noites escuras.

AZIMUTE Distância medida sobre o horizonte a partir de um dos polos até o círculo vertical que passa por um ponto da esfera celeste.

BARLAVENTO Direção ou lado de onde sopra o vento.

BICHEIRA Gancho em forma de anzol, com haste, utilizado para embarcar peixes grandes.

BIRUTA O mesmo que âncora de mar.

BOMBORDO O lado esquerdo de uma embarcação.

BULBO Parte arredondada e saliente submersa à proa de navios que aumenta a estabilidade e o rendimento.

CABOTAGEM Navegação mercante entre os portos distantes entre si no máximo 250 milhas (pequena cabotagem), ou entre os portos de um mesmo país (grande cabotagem).

CARTA-PILOTO Carta de indicação de intensidade e direção médias de correntes e ventos; temperatura, pressão, frequência de tempestades e calmarias e outros dados para auxílio à navegação.

CAXARÉU O macho da baleia quando adulto.

CONTÊINER Cofre de carga.

DEPRESSÃO Zona de baixa pressão atmosférica, sujeita a fortes perturbações meteorológicas; ventos fortes e tempestades.

ESCOTA Cabo de laborar fixo no punho das velas.

FINCA-PÉ Apoio onde vão fixos os pés do remador.

FOSSA ABISSAL Área do fundo do mar com profundidades acima de 5 mil metros.

GMT Hora média de Greenwich; a hora adotada nos cálculos de navegação astronômica e a bordo da maioria das embarcações.

GÔNIO O mesmo que radiogoniômetro.

LIMBO Borda.

MADRIJO (ou madrija) Baleia-mãe.

MAR DE ALMIRANTE Mar liso.

MAR DE AZEITE Mar totalmente liso, sem ondas.

MERIDIANO Círculo máximo da esfera celeste que passa pelos polos e contém o zênite.

MILHA Unidade de distância usada em navegação, equivalente ao comprimento de um minuto de meridiano terrestre. Igual a 1852 metros.

MIRAGEM (inferior e superior) Efeito óptico frequente nos desertos, produzido pela reflexão total da luz solar na superfície comum a duas camadas de ar aquecidas diversamente, sendo a imagem vista, de ordinário, em posição invertida.

ORÇAR Aproximar a proa da embarcação da linha do vento. Pôr o leme a barlavento, a fim de que a proa da embarcação se aproxime da linha do vento.

NÓ Unidade de velocidade, igual a uma milha marítima por hora.

PILOT CHART Carta-piloto.

PLOTAR Marcar numa carta náutica um ponto de coordenadas conhecidas.

POPA Parte posterior da embarcação.

PROA Parte anterior da embarcação; a frente.

QSO Comunicado de rádio, em bandas radioamadoras.

QUADRANTE Instrumento para medir ângulos, semelhante ao sextante, mas cujo limbo abrange um quarto de circunferência ou 90°.

QUATRO-SEM Barco a remo, olímpico, composto por quatro remadores, sem timoneiro.

RADIOGONIÔMETRO Aparelho que marca a direção ou o ângulo entre estações de rádio. Também chamado *gônio*.

REFRAÇÃO ANORMAL Alteração nas condições de propagação de ondas de rádio.

REMO DE VOGA Remo apoiado em forqueta ou forquilha que se usa dando as costas à proa da embarcação.

RESSURGÊNCIA FRIA Zona de correntes submarinas frias que vêm à tona em determinadas regiões.

RONDAR Mudar de direção (o vento).

RUMO MAGNÉTICO Direção, em graus, do movimento da embarcação em relação ao norte magnético.

RUMO VERDADEIRO (RV) Direção, em graus, do movimento da embarcação em relação ao norte verdadeiro ou geográfico.

SIZÍGIA (MARÉS DE) Marés de grande amplitude por ocasião das épocas de conjunção ou de oposição da Lua com o Sol.

SEXTANTE Instrumento astronômico, com um sexto de círculo, ou 60°, dois espelhos e uma luneta, destinado a medir a altura de um astro.

SWELL Forte ondulação marítima, normalmente independente da ondulação de superfície. Ondas de fundo.

TERRAL Vento que sopra de terra no começo ou fim do dia.

TIJUPÁ Pavimento acima do passadiço, onde se instala uma ou mais estações de vigilância (de onde o comandante dirige a manobra).

TRAVÉS Parte lateral ou lado, a 90° do eixo da embarcação. De lado.

TOP HORÁRIO Hora, minuto e segundo exatos transmitidos pelo rádio.

VHF *(Very High Frequency)* Sistema de comunicação em ondas de altíssima frequência.

VERGA Peça ou haste de madeira que suspende as velas quadrangulares.

VIRAÇÃO Invasão brusca e repentina do vento; vento brando e fresco que, à tarde, costuma soprar do mar para a terra.

ZM Zona meteorológica.

ZÊNITE Intersecção vertical superior do lugar com a esfera celeste; projeção do observador na esfera celeste.

FICHA TÉCNICA DO *IAT*

Comprimento	5,94 m
Boca máxima	1,52 m
Borda livre mínima	0,38 m
Deslocamento vazio	310 kg
Deslocamento carregado (em ordem de marcha)	1190 kg
Capacidade máxima de lastro	210 l
Capacidade máxima dos tanques de água doce	275 l

BIBLIOGRAFIA

PUBLICAÇÕES CONSULTADAS PARA O ESTUDO DA ROTA

AFRICA PILOT. Hydrographer of the Navy, vol. 2, U.K.
ATLANTIC OCEAN CURRENT ATLAS. Hydrographer of the Navy, M.O., 466.
ATLANTIC OCEAN METEOROLOGICAL ATLAS. Hydrographer of the Navy, M.O., 483.
ATLAS PILOTO. ATLÂNTICO SUL. DNH da Marinha (jan. a dez.).
OCEAN CURRENTS OF THE WORLD. Defense Mapping Agency H.T.C., Washington, D.C., 20 315.
OCEANS PASSAGES FOR THE WORLD. British Hydrographer of the Navy, U.K.
PILOT CHART MAPPING OF THE SOUTH ATLANTIC OCEAN. Defense Mapping Agency H.T.C., Washington, D.C., 20315 (jan. a dez.).
PILOT AND NAVIGATION CHART OF THE CAPE TOWN. Rio Race, South Africa, Hydrographic Office.
ROUTEING CHART. SOUTH ATLANTIC OCEAN. British Hydrographer of the Navy, U.K.
SAILING DIRECTIONS FOR THE WORLD. United States Naval Oceanographic Office.

BIBLIOGRAFIA BÁSICA UTILIZADA NA ELABORAÇÃO DO PROJETO

D'ABOVILLE, Gérard. *L'Atlantique à bout de bras.* Paris, Arthaud, 1980.
ANGEL, Nicolas. *Chavirage en trimaran.* Paris, Editions du Pen Duick, 1979.
ASARIA, Gérard. *Les Héros solitaires de l'Atlantique.* Paris, Editions de Messine, 1976.
BAILEY, M. et M. *Cent Dix-Sept Jours à la dérive.* Paris, Arthaud, 1974.
BARRAULT, J. M. & KURBIEL, Janusz. *Vagabond et les aventures polaires d'aujourd'hui.* Paris, Editions Maritimes et d'Outre-Mer, s.d.
BARTON, Humphrey. *Les Aventuriers de l'Atlantique.* Paris, Arthaud, 1962.
BESSEMOULIN, Jean & CLAUSSE, Roger. *Vents, nuages & tempêtes.* Paris, Éditions Maritimes et d'Outre-Mer, 1978.
BLYTH, Chay. *Le Voyage impossible.* Paris, Arthaud, s.d.
BOMBARD, Alain. *Naufragé volontaire.* Paris, Arthaud, s.d.
BONINGTON, Chris. *Quest for Adventure.* Londres, Book Club Associates, 1982.
BORG, Gérard. "Navigation hauturière", *Nauticus: Encyclopédie pratique du bateau,* nº 12. Paris, Éditions Maritimes et d'Outre-Mer, 1979.

BORG, Gérard & DELFOSSE, Andre. "Du Naufrage a la survie: la sécurité", *Nauticus: Encyclopédie pratique du bateau*, nº 13. Paris, Éditions Maritimes et d'Outre--Mer, 1979.

CÂMARA, Antônio Alves. *Ensaio sobre as construções navaes indigenas do Brasil*. Rio de Janeiro, G. Leuzinger, 1888.

CARSON, Rachel L. *The Sea Around Us*. Nova York, Oxford University Press, 1980.

CHAUVE, Jean-Yves. *La Médecine du bord*. Paris, Arthaud, 1978.

CHOPARD, Michel et al. *Kim*. Editions du Pen Duick, 1983.

COLES, K. Adlard. *Heavy Weather Sailing*. 1981.

COSTELLE, Daniel. *Histoire de la marine*.

DOWD, John. *Sea Kayaking. A Manual for Long-Distance Touring*. Vancouver, Douglas & McIntyre, 1981.

FAIRFAX, John. *Britannia: Rowing Alone Across the Atlantic. The Record of an Adventure*. Scauster, Simon, s.d.

GRÉE, Alain. *Le Grand Départ et le point astro*. Paris, Éditions Maritimes et d'Outre--Mer, s.d.

GLIKSMAN, Alain. *La Voile en solitaire*. Paris, Éditions Maritimes et d'Outre-Mer, 1976.

HENDERSON, Richard. *Singlehanded Sailing*. Camden, International Marine Publishing Company, 1976.

HEYERDAHL, Thor. *A Expedição Kon-Tiki*. São Paulo, Melhoramentos, 1959.

JOHNSON, Peter. *Yachting: Facts and Feats*. Guiness.

JOLLOIS, Pierre. "Gréements et armements", *Nauticus: Encyclopédie pratique du bateau*, nº 3. Paris, Éditions Maritimes et d'Outre-Mer, 1977.

KING, Derek & BIRD, Peter. *Small Boat Against the Sea: The Story of the First Trans--World Rowing Attempt*. Londres, Ed. Paul Ellek.

LANSING, A. *Endurance. Shackleton's Incredible Voyage*. Nova York, McGraw-Hill Book Company, 1961.

LARDIN, Michel. *"Les Gros Temps"*, *Neptune*. Paris, Éditions Maritimes et d'Outre--Mer, 1980.

LEATHER, John. *Colin Archer et le norvégien*. Paris, Éditions Maritimes et d'Outre--Mer, 1981.

LEATHER, John. *Sail and Oar*. Conway, Maritime Press U. K., 1982.

LEWIS, David. *Ice Bird. L'Antartique en solitaire*. Paris, Arthaud, 1976.

LINDEMANN, Hannes. *Alone at Sea for 72 Days*. Londres, Life, s.d.

MANUAL DO TRIPULANTE. Ministério da Marinha, Diretoria de Portos e Costas, 1978.

MARTY, Cristian. *L'Atlantique a mains nues*. Paris, Flammarion, s.d.

MEDICAL RESEARCH COUNCIL (Committee on the Care of Shipwrecked Personel). *A Guide to the Preservation of Life at Sea after Shipwreck*, War Memorandum nº 18, Londres, 1943.

MEDINA, Mariano. *La mar y el tiempo*. Barcelona, Editorial Juventud, 1974.

MERRIEN, Jean. *Aux Limites du possible*. Paris, Denöel.

MERRIEN, Jean. *Le Navigateurs solitaires*. Paris, Denöel. *Navegação astronômica*. Ministério da Marinha, Diretoria de Portos e Costas, 1978.

NORDLINDER, Gunnar. *Singöbatar*. Sjöhistoriska Museet.

RIDGWAY, John & BLYTH, Chay. *A Fighting Chance*. Londres, Paula Hamlyn, 1967.

RIDING, John. *Le Voyage de l'oeuf sur la mer*. Paris, Éditions Maritimes et d'Outre--Mer, s.d.

RÖBB, Franck. *Face ou mauvais temps*. Paris, Éditions Maritimes et d'Outre-Mer, 1977.

ROBERTSON, Dougal. *Sea Survival. A Manual*. Londres, Ed. Ellek, 1975.

ROBIN, Bernard. *Survival at Sea*. Camden, International Marine Publishing Company, 1981.

ROMANOVSKY, V. & FRANCIS-BOUEF, Claude. *La Mer*. Paris, Larousse, 1953.

ROOS, Willy de. *Le Passage du Nord-Ouest*. Paris, Arthaud, 1979.

SAINT-LOUP. *La Mer n'a pas voulu*. Paris, Arthaud, s.d.

SAUTREAU, Serge. *Les Rituels du naufrage*. Hier et Demain.

SMITH, F. E. *Survival at Sea*. Royal Naval Personel Research Committee (report). M.R.C., 1976.

SVEDRUP, H. U., et al. *The Oceans, Their Physics, Chemistry and General Biology*. Englewood Cliffs N. J., Prentice-Hall, 1942.

TRUMBULL, Robert. *Le Naufragés du ciel*. La Table Ronde.

VAN KONIJNENBURG, E. *L'Architecture navale depuis ses origines*. Bruxelas, L'Association Internationale Permanente de Congrès de Navigation, 1905.

VICTOR, Paul-Emile. *Pôle Nord. Pôle Sud*. Paris, Hachette, 1967.

VIGNES, Jacques. *La Rage de survivre*. Paris, Arthaud, 1973.

ZACKE, Alvar, HÄGG, Magnus. *Almogebatar*. Estocolmo, Malmo Grafiska A. B., 1973.

WITTER, Robert W. *Design and Construction of the United States Coast Guard 44 Foot Motor-Life Boat*. Curtis Bay, Maryland, United States Coast Guard Yard, jun. 1966.

AMYR KLINK nasceu em São Paulo, em 1955. Formou-se em economia e administração, mas é conhecido por suas viagens ao redor do mundo. Navegador experiente, registrou em livro, sempre pela Companhia das Letras, diversas de suas aventuras, como a travessia a remo do Oceano Atlântico, que é narrada neste *Cem dias entre céu e mar* (1995), e a expedição de quase dois anos entre a Antártica e o Ártico (*Paratii: entre dois polos*, 1992). É autor ainda de *As janelas do Paratii — 112 fotos* (1993), *Mar sem fim* (2000) e *Linha d'água* (2006).

1ª edição Companhia das Letras [1995] 17 reimpressões
1ª edição Companhia de Bolso [2005] 31 reimpressões

Esta obra foi composta pela Página Viva em Janson Text e
impressa pela Gráfica Bartira em ofsete sobre papel Pólen Natural
da Suzano S.A. para a Editora Schwarcz em março de 2024

A marca FSC® é a garantia de que a madeira utilizada na fabricação do papel deste livro provém de florestas que foram gerenciadas de maneira ambientalmente correta, socialmente justa e economicamente viável, além de outras fontes de origem controlada.